Kamerplanten voo
iedereen en elke ple

De Groenboekerij is een serie tuin-, bloemen- en plantenboeken van Zomer & Keuning, Ede

In deze serie zijn o.a. reeds verschenen:

Wim Amesz: Bloemen schikken voor iedereen
Harry Baker: Groenboekerij stap-voor-stap-gids Fruit
Bambach/Oudshoorn: Handboek tuinieren
Tony Biggs: Groenboekerij stap-voor-stap-gids Groenten
Franz Böhmig: Het grote tuinboek
Christopher Brickell: Groenboekerij stap-voor-stap-gids Snoeien
H.N. Cevat: De kamerplantendokter
Ralf Efraimsson: Plant een pit!
Jaap Hage: Planten voortkweken als hobby
Jaap Hage: 201 heesters in kleur
Katinka Hendrichs: Kruiden voor de keuken
Katinka Hendrichs: Bloemen schikken van week tot week
Hugo Herkner: Een vijver in de tuin
Herold/Van Keppel: Het verzorgen en kweken van cactussen
Rob Herwig: Kamerplanten-zakboek
Rob Herwig: Leuke tuinideeën in kleur
Rob Herwig: 201 tuinplanten in kleur
Rob Herwig: 201 kamerplanten in kleur
Rob Herwig: 350 kamerplanten en hun toepassing in het interieur
Rob Herwig/Margot Schubert: Het grote kamerplantenboek
Rob Herwig: Uw tuin van maand tot maand
Rob Herwig: Herwig Tuinplanten-encyclopedie
Rob Herwig: Herwig Kamerplanten-encyclopedie
Rob Herwig: 350 tuinplanten en hun toepassing
F. Hilkenbäumer: Goed snoeien van fruitbomen en -struiken
Dick Huigens: Zelf uw tuin ontwerpen
Hugh Johnson: De kunst van het tuinieren
I.E. Knook: Ikebana van weg- en waterkant
Koide/Kato/Takeyama: Het bonsai boek
Kromdijk/Oudshoorn: Het nieuwe kamerplantenboek
Harry v.d. Laar: Het heidetuinboek
Jan Lelley: Eetbare paddestoelen kweken
Patricia Massy: Ikebana: maken en begrijpen
Philip McMillan Browse: Groenboekerij stap-voor-stap-gids Planten voortkweken
Wim Oudshoorn: 201 zomerbloemen in kleur
Wim Oudshoorn: 126 bollen en knollen in kleur
Wim Oudshoorn: 126 cactussen en vetplanten in kleur
Wim Oudshoorn: Groenten, fruit en kruiden in kleur
Wim Oudshoorn: Het hydrocultuurboek
Oudshoorn/Hiddema: Het kassenboek
Oudshoorn/Kromdijk: Van week tot week in eigen tuin
Oudshoorn/Nieuman: Het rotstuin-plantenboek
Michel Paul: Orchideeën
Wolfgang Rysy: Orchideeën voor kamer en kas
Norman Sparnon: Ikebana in woord en beeld
Meta Strandberg: De gezonde moestuin
Wright/Oudshoorn: Zelf planten vermeerderen

Rob Herwig

Kamerplanten voor iedereen en elke plek

Met uitgekiende tips voor groei, bloei en combinaties

ZOMER & KEUNING – EDE

Tekstbewerking: E. de Leones

ISBN 90 210 0362 7

Inhoud

Woord vooraf

Kamerplanten worden in een geweldige variatie te koop aangeboden. Het is zo langzamerhand erg lastig geworden om daar juist díe planten uit te kiezen die het bij u goed zullen doen. Dat zijn de planten die het naar hun zin hebben op de plaats waar ze staan.
U moet zich dus afvragen welke condities u te bieden hebt en daar dan de plant bijzoeken die die omstandigheden nu juist prettig vindt.
Achter in dit boek vindt u een hele reeks tabellen van planten met gelijke groeivoorwaarden die u daarbij heel precies de weg zullen wijzen.
Op de bladzijden 17 t/m 139 vindt u alle planten beschreven en afgebeeld.
Om de verwarrende veelheid overzichtelijk te houden, heb ik ze in dit boek gegroepeerd: alle cactussen bij elkaar, orchideeën bij elkaar enz. Dat wijst zich bijna vanzelf. Binnen zo'n groep – bijv. 'bladplanten' – zijn alle soorten uit één geslacht bij elkaar op de foto gezet. Zo ziet u exact wat bij wat hoort en bovendien krijgt u een idee van de omvang van al die plantengeslachten: er zijn heel uitgebreide bij (bijv. *Ficus*) en andere die maar uit één of twee soorten bestaan.
In de natuur komen vaak veel meer soorten voor, maar hier heb ik me beperkt tot een sortiment dat u vrijwel zeker bij de bloemist kunt kopen. En dat zijn er tussen de 300 en 400 verschillende. Waarschijnlijk meer dan u ooit in huis zult hebben.
Op de bladzijden 7 t/m 16 staat, met foto's geïllustreerd, alle basisinformatie over de verzorging van uw planten.
Bijzonderheden over aparte planten zijn bij de plantenbeschrijvingen zelf opgenomen.
Ik hoop van harte dat u veel plantenplezier aan dit praktische boek zult beleven. Ondertussen hebt u zelf ongetwijfeld al ontdekt dat met dit boek het maken van veelvormig gevulde plantenbakken een koud kunstje is.

Rob Herwig

Zelf kamerplanten zaaien
Dit gaat heel erg simpel. U hebt alleen zaden, een vlak zaaibakje (met wateraf-voer) en wat zaaigrond nodig. Zaaigrond kunt u maken door 50 % verpakte pot-grond en 50 % scherp zand te mengen. Druk de zaaigrond in het bakje goed aan en zaai fijne zaden vooral niet te dicht. Het zaad afstrooien met gezeefd scherp zand of met zilverzand (is fijner). De afdeklaag mag niet dikker wezen dan de zaadjes hoog zijn.
Water van onderen laten optrekken, dan een plastic kapje erover en zonodig onder-warmte geven (zie voor deze techniek bij stekken op de volgende bladzijde).

Verspenen van jonge plantjes
Als gezaaide plantjes zijn opgekomen moeten we ze verspenen, dat betekent apart oppotten. Dit kan gebeuren zodra ze hanteerbaar zijn. Breng uw hand onder de wortels van de plantjes en til de aarde voorzichtig op.
Daarna proberen we om de plantjes stuk voor stuk zó los te maken dat de worteltjes intact blijven. Vul nu potjes met potgrond, zet elk plantje in een potje en druk de aarde voorzichtig maar toch stevig aan.
Een beetje water geven. Meestal is het verstandig de verspeende plantjes nog en-kele dagen onder glas of plastic te houden om de verdamping wat te beperken.

Jonge plantjes worden groot
Wanneer alles goed gaat, groeien de ver-speende plantjes al gauw flink uit. Houd ze de eerste tijd nog uit de felle zon.
Als ze goed groeien, mogen we aannemen dat ook de wortels flink uitgebreid zijn en dan kunt u beginnen de plantjes af te har-den. Dat betekent: plastic of glas eraf (ge-leidelijk aan) en méér licht, als volwassen planten dat verdragen; later ook zon.
Zodra de wortels onder uit het potje groeien moet u alweer verpotten; dit kan na enkele weken reeds het geval zijn. Be-handel de jonge planten nu verder nor-maal.

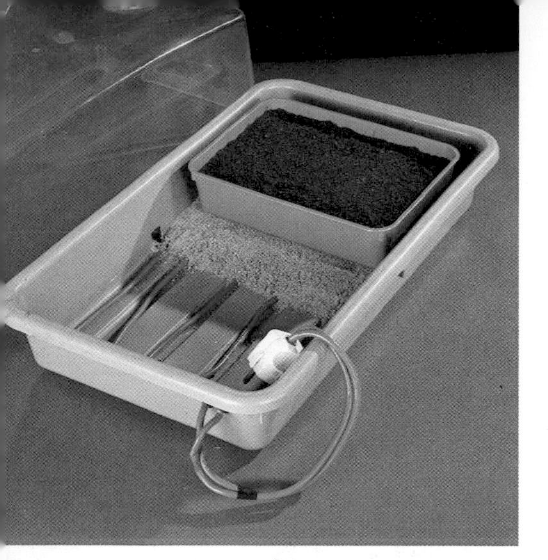

Zaaien of stekken op warmte
Als bij een plant is vermeld dat hij gestekt of gezaaid moet worden 'op warmte', dan betekent dit dat de bodem een temperatuur moet hebben tussen de 20 en 30 °C, soms nog enkele graden warmer.
Een gelijkmatige en constante verwarming verkrijgt u het eenvoudigst met behulp van elektriciteit. Er bestaan warmtekabeltjes die zig-zag onder in het zaaibakje worden gelegd. Altijd bedekken met tenminste 5 cm scherp zand. Een thermostaat is niet altijd noodzakelijk. Er bestaan ook verwarmingselementjes voor zaaibakjes; de werking is hetzelfde.

Het maken van een scheut- of kopstek
Deze stekjes worden van niet-bloeiende, jonge of halfrijpe scheuten gesneden, die in datzelfde jaar zijn gegroeid. Bij een kopstek neemt men het topje, ongeveer 5-10 cm lang; de onderste blaadjes worden verwijderd. Een scheutstek kan ook uit een lager deel van de stengel worden genomen. Bij planten met grote bladeren wordt het blad opgerold of gehalveerd om de verdamping te beperken.
Stekjes altijd vlak onder een knoop afsnijden, omdat uit dit punt de wortels zullen groeien. Het wondvlak wordt wel in groeistofpoeder gedoopt.
Goede stekgrond maakt u door gewone potgrond of turfmolm en scherp zand 50-50 te mengen.

Het maken van oogstek
Een goede manier van stekken als het erom gaat veel stekjes te maken. Een lange stengel wordt telkens vlak boven en vlak onder een knoop doorgesneden. U houdt dan zeer korte stengeldelen over, elk met een bladsteel en een blad. Het blad wordt ook nu weer opgerold of gehalveerd om de verdamping te beperken. In de oksel tussen stengel en bladsteel bevindt zich een oog, dat bij het stekken uit zal lopen. Uit het wondvlak onder dit oog worden wortels gevormd.

Stekjes van een bladbegonia

Van geen plant kun je zoveel stekjes maken als van een bladbegonia. Zo'n groot, mooi gekleurd blad kunt u langs een lineaal in stukjes van 1 × 1 cm snijden. Al die stukjes worden dan plat op de stekgrond gelegd en héél dun afgestrooid met scherp zand om ze op hun plaats te houden. Men legt ook wel op ieder stukje een klein steentje.
Omdat zulke bladstekjes gemakkelijk rotten, is het aangieten met een schimmelbestrijdingsmiddel, zoals Captan, aan te raden. Afdekken met glas of plastic en extra warmte toevoeren. Na enkele weken heeft elk stukje wortels.

Bladstek van de Streptocarpus

Het lange blad van de mooie draaivrucht ofwel *Streptocarpus* kunt u stekken door met een scherp mes het blad precies door de hoofdnerf in twee stukken te snijden. De delen worden dan op hun kant in stekgrond gezet. Glas of plastic erover en weer extra warmte geven. Na enkele weken ziet u vanuit die hoofdnerf een hele rij jonge plantjes ontstaan.
Het blad van het Kaaps viooltje, met een klein stukje steel eraan, kan ook rechtop in de stekgrond worden gezet. Zo zijn er nog meer planten waarvan bladstek heel simpel gemaakt kan worden.

Stekken van een ananasplant

De witgestreepte sierananas is een sterke kamerplant. Meestal produceert hij na verloop van tijd een lange stengel met bovenaan een vrucht. Aan de top van de vrucht groeit later een klein toefje bladeren. Als u genoeg van de plant hebt (hij gaat uiteindelijk tóch dood) kunt u dit toefje zo afsnijden dat er nog een schijfje vrucht aan zit. Enkele dagen laten opdrogen en dan in een potje met heel zanderige grond plaatsen.
Het kan enkele maanden duren, maar ten slotte komen er wortels aan en u hebt weer een nieuwe plant.

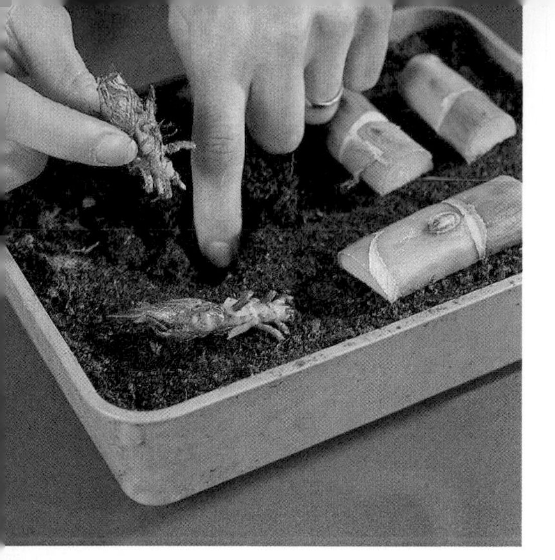

Het maken van stamstekjes
Eigenlijk is dit hetzelfde als het maken van oogstekjes (zie blz. 8), alleen met dit verschil, dat er nu geen bladsteel met blad aan de stengel blijft zitten. De stengel (meestal de stam) wordt gewoon in stukken van enkele centimeters verdeeld. Deze stukken kunnen dan nog in de lengte gesplitst worden. Langs de stam van hiervoor geschikte planten bevinden zich vele ogen, die nu uit gaan lopen.
Op de foto ziet u rechts stamstekjes van de *Dracaena*, een plant die zo heel gemakkelijk bewortelt. Links een stamstekje van de *Anthurium*. Extra warmte is noodzakelijk.

En nu maar groeien
Ook al is de bewortelingstijd van de verschillende stekjes niet even lang, u kunt ze toch gerust bij elkaar in één bakje zetten. De foto toont hiervan een voorbeeld, met kopstek, bladstek, stamstek en een afgenomen broedbolletje (zie verderop) broederlijk bijeen. Het bakje kan nu zo in een 'couveuse' geplaatst worden; de bodemtemperatuur moet tussen de 25 en 30 °C liggen.
Vermijd fel zonlicht en zorg dat de stekgrond steeds matig vochtig blijft. De aarde is in dit voorbeeld afgedekt met scherp zand om algengroei tegen te gaan. Afdekken met fijne steenslag kan ook.

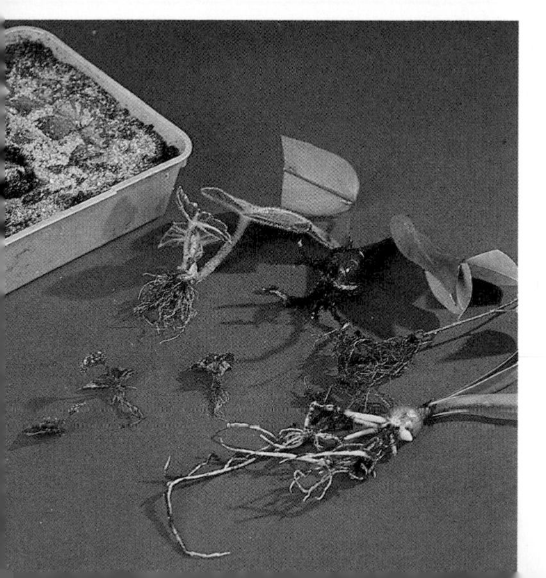

De wortels zitten eraan
Wanneer de temperatuur goed op peil blijft, het vochtgehalte niet te veel daalt en de zon onze stekjes niet verbrandt, ziet u na enkele weken dat de stekjes iets gaan groeien of dat er nieuwe uitlopers verschijnen. Dit betekent bijna altijd, dat ook wortels zijn gevormd. Laat de groei nog even goed doorzetten, maar wacht niet te lang met verspenen.
Haal eerst de snelst groeiende exemplaren uit het bakje, pot ze apart op in gewone potgrond en houd ze nog een weekje onder glas of plastic. Daarna afharden en de jonge planten normaal verder verzorgen.

Delen is het simpelste

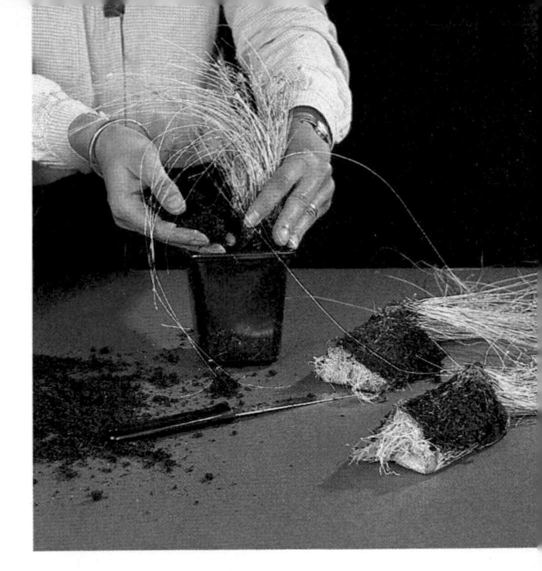

Planten die met meerdere stengels uit de grond komen, laten zich meestal heel gemakkelijk delen. Men spreekt ook wel van scheuren. U tikt de plant uit de pot en met de hand probeert u de plant in meerdere stukken te delen. Hoeveel stukken, dat doet er niet zoveel toe, als u er maar voor zorgt dat ieder stuk tenminste een paar worteltjes én een scheut heeft. Lukt het niet met de hand, gebruik dan een mes en druk dit van boven af door de wortels.
Elk deel nu apart oppotten en de plantjes de eerste tijd wat uit de zon houden, zodat ze beter aangroeien.

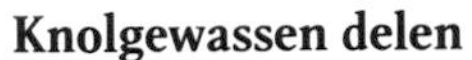

Knolgewassen delen

Ook planten met knolvormige wortels kunnen heel goed gedeeld worden. Meestal gebeurt dit werkje in het voorjaar. Eerst laat men de knollen een stukje uitlopen, zodat duidelijk zichtbaar is waar de ogen zitten.
Daarna worden de knollen met een scherp mes in stukken gesneden en wel zodanig, dat elk deel tenminste één uitloper plus een paar worteltjes bezit. Op de foto ziet u het delen van een *Agapanthus*. Op een soortgelijke manier kunt u ook de andere knolgewassen delen. Bestrooi de wondvlakken met houtskoolpoeder, laat ze wat opdrogen en plant daarna de delen apart op.

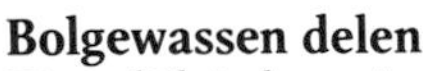

Bolgewassen delen

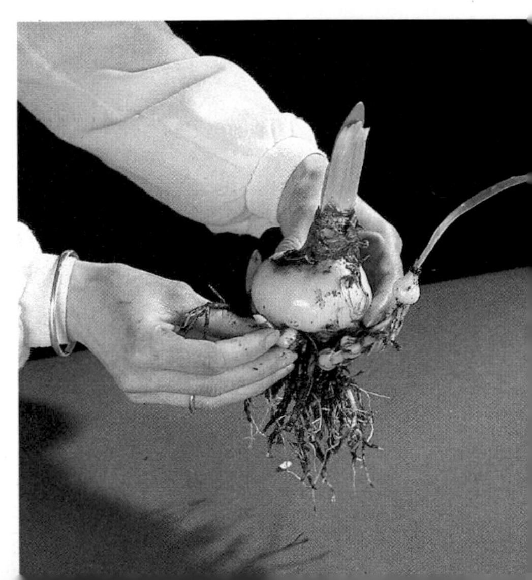

Eigenlijk is het niet juist om hier van delen te spreken, want een bol heeft maar één groeipunt en is dus niet deelbaar. Aan dc voet van de oude bol worden echter vaak jonge bolletjes gevormd, zgn. broed.
Op de foto ziet u de broedbolletjes aan een *Hippeastrum*-bol, beter bekend als de amaryllis. Ze zijn al uitgelopen en hebben ook al worteltjes, zodat apart oppotten meteen kan gebeuren. Indien mogelijk toch eerst een poosje onder glas houden. Daarna verder warm opkweken (liefst in een kasje). Het duurt wel enkele jaren voordat er bloemen verschijnen.

Verpotten: kluit uit de pot tikken
Wanneer moet een plant verpot worden? Zeer snel groeiende, jonge planten al na enkele maanden, oudere, langzame groeiers misschien eens in de twee à drie jaar. Er moet altijd evenwicht bestaan tussen het bovengrondse deel en de wortelkluit; hebt u een enorme plant in een piepklein potje, dan is dit evenwicht beslist verstoord. Groeit de plant in een plastic pot, dan is hij er meestal zó uit te halen. Aan de wand van een stenen pot vinden de wortels veel meer houvast; tik dan op de rand van een tafel, zoals de foto laat zien. Desnoods de stenen pot stukslaan.

Aarde betekent: voedsel
Wanneer u nu de kluit van deze *Asparagus* eens bekijkt, dan ziet u dat de aarde die toch ooit in het potje moet hebben gezeten, is verdrongen door een enorme massa wortels. Als u dit ziet, is het altijd hoog tijd om een plant te verpotten, want verse aarde betekent nieuw voedsel en voedsel is groei.
Een tweede reden om te verpotten is dat de nog aanwezige, oude aarde fungeert als een opslagplaats voor allerlei afvalstoffen, die uit het gietwater afkomstig zijn. Door het verpotten raakt u dit gif kwijt en de plant stelt dit beslist op prijs.

Opnieuw oppotten
De nieuwe pot moet een stukje groter zijn dan de oude. Het kan een stenen of plastic bloempot zijn, maar ook een sierpot. Erg goed zijn potten als op de middelste foto: met afvoergaatjes en een lekschotel.
Leg onderin de nieuwe pot een paar stenen potscherven of wat grind, voor de drainage. Leg daarop een laagje potaarde. Zet nu de oude kluit in de nieuwe pot en vul rondom aarde bij. Goed aandrukken. Laat bovenaan een randje vrij om beter water te kunnen geven. Het is beter om aan de oude kluit niet te veel te prutsen, hoogstens wat oude aarde eruit kneden.

Verpotten van een cactus
Cactussen en vetplanten hebben een speciaal grondmengsel nodig. Het is soms in zakjes te koop. U kunt ook gewone potgrond met de helft scherp zand verschralen. Onder in de pot komt een dikke laag potscherven.
De cactus kunt u met een dikke handschoen vasthouden, terwijl de andere hand aarde bijvult. Plastic potten zijn het meest geschikt; neem ze niet té klein. Na het verpotten de cactussen een paar weken uit de zon houden, totdat nieuwe wortels zijn gevormd. Beslist niet te veel water geven: dan gaan de wortels rotten. Verpot eens in de 2 jaar; doe dit in april.

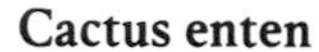

Cactus enten
Sommige cactussen groeien niet goed op hun eigen wortels. Ze kunnen dan geënt worden op een soort die wél sterke wortels maakt. Die onderstammen kunnen uit zaad worden opgekweekt; een goede soort is *Eriocereus jusbertii.*
Als de onderstam ongeveer een jaar oud is, snijdt u hem op 5-8 cm boven de aarde af, zoals de foto toont. De ent wordt aan de onderzijde eveneens vlak afgesneden. Dan worden beide delen, die goed op elkaar moeten passen, met een elastiekje bevestigd. Na enkele weken zullen onderstam en ent vergroeid zijn. Let erop dat niet alle onderstammen voldoende winterhardheid bezitten, ook niet bij ± 5 °C.

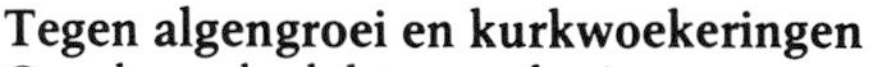

Tegen algengroei en kurkwoekeringen
Op de onbedekte aarde in cactuspotjes gaan vaak groene algen groeien, die de bodem verstikken. Verder ontstaan door opspattend gietwater vaak kurkwoekeringen onder aan de cactus, een lelijk gezicht. Beide verschijnselen voorkomt u door de aarde af te strooien met fijne steenslag.
Het water geven kan bij cactussen trouwens het beste van onderen af gebeuren. De potjes in een vlakke schaal met water zetten, een half uur op laten trekken en ze kunnen er weer een paar weken tegen. In de winter cactussen koel (bij 5-10 °C) bewaren en vrijwel geen water geven.

Marcotteren: hoe gaat dat?

Marcotteren is een soort stekken van delen die nog met de moederplant verbonden zijn. Die verbinding is als het ware een soort veiligheid voor het geval het stekken niet makkelijk lukt.

Marcotteren wordt gedaan bij kamerplanten die te lang en stakerig worden, zoals *Ficus*-soorten, *Dracaena*, enzovoort.

Op de plek waar men wortels wenst wordt de stam schuin opwaarts ingesneden, en wel vlak onder een knoop. Eventueel aanwezige bladeren worden eerst verwijderd. Om de wond open te houden wordt een lucifer in de snede geplaatst.

Het is de bedoeling dat uit de wond, die onder de bladknoop is gemaakt, wortels gaan groeien. Dat doen ze natuurlijk alleen in een vochtig milieu. Daarom wordt nat veenmos (sfagnum) om de wondplaats aangebracht, waarna het geheel omwikkeld wordt met een stukje plastic folie. Onderaan en aan de bovenkant wordt de folie bevestigd met een stukje tape.

Het sfagnum moet steeds vochtig blijven, dus elke week controleren. In de pot zelf wordt wat minder water gegeven, dit gebeurt om de plant de dwingen wortels te vormen waar de marcottage is gemaakt.

Bij marcotteren worden niet zo snel wortels gevormd als bij stekken. Dat komt doordat de plant onderaan óók nog wortels heeft.

Soms moet men maanden geduld oefenen voordat iets van wortelgroei is te bespeuren. Is dat het geval, dan in de pot nóg minder water geven en de marcottage goed vochtig houden. Pas bij een flinke wortelpruik de stam vlak onder de wortels doorsnijden en de plant apart oppotten. De eerste tijd onder een plastic zak houden om de verdamping zoveel mogelijk te beperken. Na een maandje of zo afharden en gewoon verder verzorgen.

Verzorging van orchideeën

Orchideeën die op bomen groeien, de zogenaamde epifyten, zijn gewoonlijk voorzien van reserve-organen, de schijnknollen of pseudobulben. Dat zijn de bovengrondse, knolvormige verdikkingen, die u op de foto ziet. De groene schijnknollen zijn de oude, nog netjes in de pot; de witte schijnknollen vooraan zijn met wortels en al buiten de pot gegroeid.
Elk jaar moeten zulke planten gedeeld worden, waarbij de jonge schijnknollen weer netjes in de pot terechtkomen. Dit werkje wordt op de foto's hieronder gedemonstreerd. De oude schijnknollen worden weggedaan.

Orchideeën kunt u meestal niet in gewone potgrond laten groeien. Ze verlangen een zeer luchtig mengsel, dat onder meer bestaat uit gehakte varenwortels en veenmos. Tegenwoordig worden ook kleikorrels gebruikt. Eigenlijk heeft elke soort een ander mengsel nodig.
Onder in de stenen of plastic pot wordt een minstens 5 cm dikke drainagelaag van potscherven aangebracht; hierop komt het voorgeschreven grondmengsel. De gedeelde planten worden zo in de pot gezet dat de jonge scheuten de ruimte hebben om te groeien, anders staat de helft van de plant er zó weer naast.

Orchideeën met schijnknollen verlangen eens per jaar een rustperiode, gedurende welke ze zo droog worden gezet dat de schijnknollen nét ietsje schrompelen. De temperatuur wordt dan ook wat lager gehouden. Bij elk geslacht zijn warmtebehoefte en rustperiode verschillend.
De luchtvochtigheid moet meestal vrij hoog zijn en ongeschermd zonlicht verdragen de meeste orchideeën niet. Vandaar dat men kasjes altijd met krijt wit maakt. Ook in huis kunnen sommige orchideeën aardig groeien; een venster op het noorden of oosten is heel geschikt.

Verzorging van bolgewassen
In huis kunnen we te maken krijgen met twee groepen van bolgewassen. De eerste groep kan zonder meer opgepot en direct in het licht gezet worden; de tweede groep moet na het oppotten een tijdje koel en vooral donker staan.
Bolgewassen uit de eerste groep, zoals de populaire *Amaryllis (Hippeastrum)* moeten niet te diep worden gepot. De hals van de bol moet boven de grond blijven, zoals de foto laat zien. Eerst alleen maar warm zetten; als de spruit gaat groeien moet de plant ook in het licht staan. De aarde mag noch te nat, noch te droog wezen.

Tot de tweede groep van bolgewassen, de soorten die eerst koel en donker moeten staan, behoren tulpen, hyacinten, krokussen en bijna alle narcissen. De bollen worden ook tot de hals opgepot, ze kunnen allemaal in gewone potgrond groeien, maar narcissen en hyacinten zet men ook wel op grind.
Duisternis verkrijgt men door afdekken met zwart plastic of door plaatsing in een absoluut donkere ruimte. De temperatuur moet rond de 10 °C liggen. Inkuilen in de tuin is ook prima. De bollen mogen pas in het licht worden gezet als de scheut zover uit de bol is, dat u de bloemknop kunt voelen.

Als u bollen op grind wilt kweken, zorg er dan voor dat onder in de schaal maar een heel klein laagje water staat. Het water mag de onderzijde van de bol niet raken, want dan gaat hij rotten.
Precies zo is het bij het kweken van hyacinten op glazen. Hiervoor worden meestal speciaal geprepareerde bollen gebruikt. Leg tussen de bol en de rand van het glas een klein steentje of een luciferhoutje, zodat er wat lucht onder de bol kan komen en vul het water slechts tot ongeveer 2 mm onder de bol.
Natuurlijk moeten ook de zo behandelde bollen eerst koel en donker staan.

Bloeiende planten

Onder 'bloeiende planten' verstaan we hier planten met vrij opvallende, vaak fel gekleurde bloemen. Dit met uitzondering van orchideeën en andere speciale gewassen, waaraan een apart deel van dit boek gewijd is. Veel gewassen die we bladplanten plegen te noemen vormen ook bloemen, maar hoewel die op de keper beschouwd ook een heel fascinerend uiterlijk kunnen bezitten, zijn ze minder in het oog lopend, omdat ze klein zijn of omdat hun kleur onopvallend is. En dan zijn er bloeiende planten die zulk mooi loof hebben dat we ze ook in de categorie bladplanten kunnen laten vallen, zoals de *Aphelandra* of de *Columnea*. Maar meestal zijn de bladeren minder interessant.
De minder mooie periodes van deze planten worden volledig vergoed op het moment dat de eerste knoppen verschijnen. Iedere knop die zich tot bloem ontvouwt geeft enthousiaste vreugde. En juist het verrassingselement maakt ze zo boeiend. Zou hij dit jaar weer gaan bloeien? Dat vragen we ons natuurlijk alleen af bij de planten die we over kunnen houden, de meerjarigen. We kunnen die meerjarigen op alle mogelijke manieren indelen. Er zijn kuipplanten bij, zoals het sinaasappelboompje en de oleander, die vanaf eind mei buiten in de tuin of op terras of balkon staan en die de winter in de koude kas doorbrengen. Plantengeslachten als bellenplant, begonia of geranium omvatten zoveel soorten, dat ze een aantrekkelijk object voor verzamelaars zijn. Kortedagplanten maken bloemknoppen als ze een tijdlang minder dan 12 uur licht per etmaal krijgen. Zo kunnen we door kunstmatige verduistering onder meer kerststerren en grootbloemige begonia's in bloei trekken. Langedagplanten, ster van Bethlehem of geranium, gaan bloeien bij 12 of meer uur licht per dag. Planten die geen voorkeur hebben noemen we indifferent. Een winterbloeier, de bekendste is wel de azalea, houdt zijn rustperiode in de zomer, terwijl de zomerbloeiers juist in de winter rusten. Voorbeelden daarvan zijn flamingoplant, klokjesbloem en passiebloem.
Om weer te gaan bloeien hebben de planten in de regel een periode van lagere temperaturen en/of droogte nodig. Deze rusttijd werkt bloeiprikkelend. Omdat lagere temperaturen in onze huiskamers nauwelijks te verwezenlijken zijn, zullen we de planten moeten verplaatsen naar een koel vertrek, een kas of de tuin. Meestal verplanten we ze na de rust en zetten ze dan weer in de kamer. Probeer altijd plotselinge overgangen te vermijden; wen de planten geleidelijk aan hun nieuwe omgeving. Dat geldt ook voor planten die van de bloemist komen, waar de temperatuur vaak lager en de luchtvochtigheid hoger is dan in veel huiskamers. Plaatselijk kunt u dan zorgen voor een vochtige atmosfeer door vaak te besproeien, of een plastic zakje om de plant te plaatsen – van boven open – dat u iedere dag een stukje laat zakken. Te plotselinge veranderingen resulteren in knopval. Denk ook aan de lichtinval: niet de ene week kant a naar het raam en de volgende week kant b. Vooral de *Hoya's* zijn hier zeer gevoelig voor. Het beste is de planten rustig op hun plaats te laten staan, en alleen te verplaatsen als u ze naar de overwinteringsplek brengt. Ook het water geven dient zo gelijkmatig mogelijk te geschieden: voor de rust steeds iets minder geven en na de rust geleidelijk meer. Uiteraard voegt u tijdens de rust geen meststoffen aan het gietwater toe.
Bij veel planten moet u tijdens de bloei niet op de bloemen sproeien, omdat dit smetten op de bloemblaadjes geeft. De uitgebloeide bloemen altijd direct verwijderen, tenzij u zaad wilt winnen. Denk eraan dat dit proces veel van de plant vergt, zodat u ze extra goed moet verzorgen. Net als bij bladplanten moet ook van bloeiende gewassen het blad af en toe schoongemaakt worden, omdat stoffig blad niet zo volledig kan assimileren.
Een categorie planten waar nog niet over gesproken is zijn de eenjarigen, minder aardig gezegd: de wegwerpplanten. Hiertoe behoren de luizenplant, de sierpeper en de roze maagdenpalm. Ze zorgen voor tijdelijke fleur in het interieur, net als een bos bloemen, met dit verschil dat plantjes in de pot het een stuk langer uithouden dan snijbloemen. Als vrolijke noot in de kamer is het vaak leuk om er meerdere tegelijk aan te schaffen en die samen in een mooie bak op te potten, zodat een dominant, kleurig vlak ontstaat. Kies wel een harmoniërende of goed contrasterende kleur, zodat geen storend element in de kamer ontstaat.

V.l.n.r. *Abutilon*-hybride 'Golden Fleece', *A. megapotamicum* 'Variegatum' en *A.*-hybride 'Feuerglocke'.

Abutilon

Als we vertegenwoordigers van dit sierlijke plantengeslacht in het wild willen zien groeien, moeten we naar tropische of subtropische gebieden reizen; vooral in Midden- en Zuid-Amerika kunnen we al gauw ruim honderd soorten vinden.
Abutilon's beschikken over een geweldige groeikracht. Klimplanten kunnen makkelijk drie meter hoog worden en de struikachtige soorten ruim een meter.
Dat u bij sommige soorten een mozaïek van gele en groene vlekjes op het blad aantreft is het gevolg van een virusaantasting.
Verzorging. *Abutilon*'s varen wel bij frisse lucht, licht en verse potgrond. Houd deze drie zaken in de gaten en binnen een jaar bent u de trotse bezitter van een aparte en respectabele potplant. Kies een beschutte standplaats, waar de felle middagzon de planten niet kan beschijnen. 's Zomers kunt u ze in de tuin of op het balkon zetten. Tijdens de groei en vooral bij warm weer ruim gieten, zodat de potkluit vochtig blijft. Hele grote en dorstige exemplaren drinken wel 10 liter per dag.
Vanaf september zorgen voor een koele overwinteringsplaats, 12-15 °C. Matig gieten en geen voedsel meer geven. Is er voldoende licht dan bloeien ze vaak nog een hele poos door. Mocht de warme huiskamer overwinteringsplaats worden dan zal wat bladval onvermijdelijk zijn. In het voorjaar geeft u dan een verjongingskuur door uw *Abutilon* stevig terug te snoeien en te verpotten in standaardpotgrond of in een mengsel van gelijke delen bladaarde, klei en oude koemest.
Vermeerdering. Neem vroeg in het jaar stek van krachtige scheuten zonder bloemknoppen. Bodemwarmte 22-25 °C, stekmedium half bladaarde, half scherp zand. De groenbladige *Abutilon*-hybriden kunt u ook zaaien in januari/februari bij 20 °C.

V.l.n.r. *Acalypha wilkesiana* 'Marginata', A. *wilkesiana* 'Godseffiana' en A. *hispida*.

Acalypha

Kattestaarten en hun naaste verwanten van hetzelfde geslacht komen van de Zuidzee-eilanden, behorend tot de Australische Archipel en van Nieuw-Guinea, waar een tropisch vochtig en warm klimaat heerst.
Verzorging. Om deze omstandigheden na te bootsen is een warme kas natuurlijk ideaal, maar ook in uw huiskamer kunt u veel plezier van deze planten hebben als u zorgt voor voldoende licht en een hoge luchtvochtigheid. Tegen felle middagzon moet geschermd worden. Als het mooie, bonte blad weer groen wordt dan staat de plant beslist te donker. Om de luchtvochtigheid op peil te houden dagelijks sproeien met zacht, lauwwarm water. Spint slaat zijn slag als de lucht te droog is. Tijdens de groei de potkluit steeds vochtig houden en iedere veertien dagen voeden met een oplossing van normale sterkte.
Hoewel de plant van warmte houdt kunt u het wel wagen uw kattestaart in de zomer op een heel beschut en warm plekje buiten te zetten. De temperatuur mag niet beneden 15 °C dalen, ook tijdens de winterse rustperiode niet. Geef in die tijd iets minder water, maar houd de luchtvochtigheid hoog. Jonge planten zijn meestal het mooist, maar ook oudere exemplaren kunt u weer een acceptabel uiterlijk geven door na de winter terug te snoeien en te verpotten in humeuze, doorlatende grond, bestaande uit bladaarde, oude koemest, scherp zand en fijne klei of leem.
Vermeerdering. Neem sterke, jonge scheuten van 10 cm lengte en bewortel ze bij een bodemtemperatuur van 20 °C in een mengsel van zand en bladaarde of turfmolm. Bij bladval geen paniek: houd de stekken warm en vochtig en de stengel zal opnieuw uitlopen. Om bossige planten te krijgen af en toe toppen.

Links en rechts twee *Achimenes*-hybriden: 'Paul Arnold' en 'Rose'. In het midden *A. erecta*.

Achimenes

De tropische weelderig bloeiende hybriden zouden hun stamouders, die uit Midden- en Zuid-Amerika afkomstig zijn, niet dan met moeite kunnen herkennen. Door bestraling of behandeling met colchicine zijn de laatste jaren vele nieuwe cultivars vervaardigd, met grotere, intenser gekleurde bloemen en compactere groei. De naam *Achimenes* komt van het griekse *a*, een ontkenning en *cheimon*, storm of winterkoude. En inderdaad, aan tocht of kou hebben ze reuze het land.
Verzorging. Een lichte standplaats voldoet het best, maar voorkom directe zonbestraling. Te weinig licht heeft lange, slappe en bloemloze stengels tot gevolg. Geef tijdens groei en bloei regelmatig lauwwarm en onthard water, zodat de potkluit niet uitdroogt. Eens in de veertien dagen voegen we hieraan een kalkvrije voedingsoplossing van normale concentratie toe. Zorg voor een hoge relatieve luchtvochtigheid. Niet direct op de open bloemen nevelen om smetten te voorkomen.
Tegen de herfst gaat de *Achimenes* zijn bladeren en bloemen verliezen om aan een drie maanden durende rustperiode te beginnen. U geeft geleidelijk minder water en laat de plant afsterven. Knip de stengels bij de grond af en haal de wortelstokken uit de aarde. In turfmolm of zand droog laten overwinteren bij 10 à 15 °C. In januari kunnen we de rizomen weer oppotten, zo'n 2 cm diep, in humeuze, goed gedraineerde potgrond, die geen kalk mag bevatten.
Vermeerdering. Grote wortelstokken kunnen we voor het oppotten in tweeën breken. Van uitlopende rizomen kunt u 5 cm lange stekken snijden die uitstekend bewortelen in turfmolm bij 20 °C bodemwarmte. Om nieuwe soorten te kweken, zaaien in januari/februari in gelijke delen turf en zand in de warme kas.

V.l.n.r. *Aeschynanthus lobbianus, A. marmoratus* en *A. speciosus.*

Aeschynanthus

Epifyten uit de vochtige, Aziatische bossen, van de Himalaya tot Indonesië. Zelfs uitgebloeid nog leuk ogende en dankbare hangplanten.
Verzorging. Behoort net als de *Achimenes* tot de familie der *Gesneriaceae* en houdt dus niet van directe zonbestraling, maar staat graag op een warme en halfbeschaduwde plaats. Zorg voor een constant microklimaatje rond de plant, want veranderingen van temperatuur en luchtvochtigheid veroorzaken knopval.
In de warme periode geven we ruim water, dat onthard en lauwwarm dient te zijn. Aan dezelfde eisen moet ook het sproeiwater voldoen. 's Winters regelmatig besproeien maar minder gieten. Droge lucht verhoogt de kans op bladluis en thrips-aantasting. Een koele periode van 12-15 °C aan het einde van de jaarlijkse winterrust kan bloeibevorderend werken. Bij het voeden erop letten dat de plant niet te veel stikstof krijgt, want dat werkt remmend op de bloei. Bloemen worden over het algemeen pas gevormd als de temperatuur boven de 21 °C ligt. Als we bedenken dat de *Aeschynanthus* in zijn thuisland op bomen groeit, dan zal het duidelijk zijn dat hij aan de potgrond speciale eisen stelt: humeus, los, goed gedraineerd. Neem bromelia-aarde of maak een mengsel van veel sfagnum, bladaarde, leem, scherp zand en wat compost en oude koemest.
Vermeerdering. Neem in februari blad- of stengelstekjes met een oog. Bij 25 à 30 °C bewortelen de stekjes makkelijk. Houd ze de eerste tijd onder glas of plastic. Om een volle plant te krijgen drie of meer stekjes samen oppotten.
Na kunstmatige bestuiving vormt zich alras een behoorlijke hoeveelheid zaad. Warm zaaien bij 25 °C.

V.l.n.r. *Anthurium magnificum*, A. *andreanum* en A. *scherzeranum*.

Anthurium (Flamingoplant)

Tot de aronskelkachtigen behorende planten die uit de tropische regenwouden van Midden- en Zuid-Amerika stammen. Soorten als *Anthurium magnificum* kweken we om het prachtige blad, andere soorten om hun aparte bloeiwijze, die bestaat uit een vaak fel gekleurd schutblad en een kolf waarop de bloempjes zitten.

Verzorging. In de kamer kunt u het best A. *scherzeranum* gebruiken, die is het sterkst. De andere soorten prefereren een bloemenvenster of warme kas. Zorg voor veel licht zonder directe zonbestraling. Bladanthuriums vragen meer schaduw en warmte dan de soorten die om de bloemen gekweekt worden. Om een rijke bloei te krijgen 's winters twee maanden lang wat minder water geven, terwijl u een minimumtemperatuur van 15 °C voor de lucht en 18 °C voor de bodem aanhoudt. Tijdens groei en bloei ruim gieten met onthard, lauw water en iedere week bijmesten met een kalkvrij voedingsmiddel. Gebruik de helft van de normale concentratie. Een hoge relatieve luchtvochtigheid is noodzaak. Sproei met lauwwarm water, maar niet op de bloemen. Om de twee à drie jaar kunt u in het voorjaar verpotten in speciale *Anthurium*-aarde, die arm is aan zouten. Uw eigen mengsel kan bestaan uit naaldenbosgrond of bladaarde, turf en oude koemest. Wat extra perlite toevoegen voor een losse grond en de aarde niet te vast aandrukken.

Vermeerdering. Grote, mooie *Anthurium*'s kunt u delen of er de bewortelde zijscheuten afsnijden en oppotten. Van minder aantrekkelijke exemplaren maakt u stamstek door alle bladstelen te verwijderen en de wortels af te steken. Voorzichtigheid is geboden om de ogen in de bladoksels niet te beschadigen. Druk de stammetjes in een mengsel van zand en turf en laat ze bewortelen (bodemtemperatuur 25 °C).

Links *Aphelandra squarrosa*, rechts *A. maculata*.

Aphelandra

Dit geslacht telt zo'n 200 soorten, alle groeiend in de tropische en subtropische wouden van Amerika, vooral in Mexico, Brazilië en Columbia. In dit boek zijn de *Aphelandra*'s ingedeeld bij de bloeiende planten, maar ook als bladplant verdienen ze een eervolle vermelding door hun glanzende en prachtig getekende bladeren.
Verzorging. Geef de planten een vochtig, halfbeschaduwd en warm plekje. Een warme kas is ideaal, maar als u ze in de kamer wat extra aandacht geeft houdt u ze ook daar maandenlang goed. Zet ze niet te dicht bij andere planten, want *Aphelandra*'s houden van ruimte. Tijdens de groei een temperatuur van 16-20 °C aanhouden.
Vooral de soorten met grote bladeren kunnen nogal wat water verdampen en die moet u dus flink gieten. Altijd onthard, lauwwarm water gebruiken, ook als u de bladeren af wilt nemen. Zorg dat de potkluit niet uitdroogt, want dat geeft net als een te lage luchtvochtigheid kans op schild- en wolluis. Wekelijks bijmesten met een kalkvrij voedingsmiddel in normale concentratie. Na de bloei verwijdert u de bloemaren en gaat u geleidelijk minder gieten en stopt met bijvoeden. Na twee maanden rust bij 10-14 °C op 2 à 3 ogen terugsnoeien en oppotten in een humeus, luchtig grondmengsel. Enkele suggesties: normale potgrond met wat extra turf, of drie delen naaldenbosgrond en een deel oude koemest. Bladval is meestal het gevolg van directe zonbestraling of te lage temperaturen.
Vermeerdering. Van november tot april kunt u scheut- of oogstek nemen van oudere planten die hun rustperiode erop hebben zitten. Als stekmedium turfmolm of bladaarde, vermengd met scherp zand, bodemwarmte 25 °C, onder glas of plastic. Het is ook leuk om de kop van een oude plant te marcotteren.

Achteraan v.l.n.r. *Begonia corallina* 'Lucerna', *B. lorraine*-hybride en *B. elatior*-hybride. Voor links *B. lorraine*-hybride, rechts *B. maculata* 'Picta'.

Begonia (Begonia)

Er zijn meer dan duizend soorten *Begonia*'s bekend, die oorspronkelijk uit de tropen en subtropen van Azië, Afrika en Amerika komen. Ze groeien daar niet alleen in de warme en vochtige oerwouden, maar ook in de bossen van hoger gelegen gebieden, waar het droger en koeler is. De soorten met knollen hebben zich duidelijk aan een droger en koeler klimaat aangepast.

Vooral omdat er zoveel verschillen in groeiwijze, bladvorm en bloeiwijze voorkomen en *Begonia*'s makkelijk te kweken en te vermeerderen zijn, is het geen wonder dat ze in zoveel huiskamers prijken en een heel geliefd ruilartikel op de hobby-plantenmarkt zijn. Bij dat laatste denken we dan uitsluitend aan de botanische soorten, die minder makkelijk verkrijgbaar zijn dan de winterbloeiende kruisingsprodukten – *B. elatior*- en *B. lorraine*-hybriden – waar de bloemenwinkels rond Kerstmis vol mee staan.

Verzorging. *Begonia*'s staan het liefst op een licht beschaduwde plaats, enkele soorten als de *semperflorens*-hybriden en *Begonia venosa*, die juist zonbestraling wensen, daargelaten. Te weinig licht is ook weer niet goed, want dan krijgt u slappe planten die gevoelig zijn voor *Begonia*-vijand nummer één: de meeldauw. Frisse lucht is prima, maar pas op voor tocht. Bij bloeiende begonia's houden we de temperatuur liefst onder de 20 °C. Hoe koeler, hoe langer u plezier van de bloemen zult hebben. Winterbloeiende soorten die direct van de kweekkas of het bloemenmagazijn in uw huiskamer komen hebben wat te lijden van de plotselinge overgang van lage naar hoge temperatuur en van vochtige naar droge lucht. Het is verstandig ze een paar dagen in een koelere kamer te laten acclimatiseren. De soorten die 's winters een rustperiode doormaken op 15 °C houden.

V.l.n.r. *Begonia semperflorens*-hybride, *B. elatior*-hybride, *B. elatior*-hybride, *B. hiemalis*, *B. heracleifolia*.

Begonia (vervolg)

Knolbegonia's overwinteren bij 10 °C in droge turf of zand. Merkt u dat de knollen inschrompelen, dan de aarde licht bevochtigen.
In de lente verpotten we overwinterde begònia's en snijden ze, waar nodig, terug. We zetten ze op een warmere plaats en gaan weer gieten, altijd met onthard, lauwwarm water. De wortelkluit mag nooit uitdrogen, maar evenmin langdurig te nat zijn, want dan treedt wortelrot op. Probeer een hoge luchtvochtigheid te handhaven zonder direct op de planten te nevelen in verband met meeldauw- en schimmelgevaar. De beste oplossing is het gebruik van een verdamper. Tijdens groei en bloei wekelijks bijmesten met een kalkarm voedingsmiddel. Vooral grote exemplaren doen het extra goed als u ze tijdens het groeiseizoen een paar maal van verse aarde voorziet. Geef een licht, humusrijk en voedzaam mengsel, zoals verpakte potgrond vermengd met turf en wat scherp zand en oude koemest. Onderin potscherven voor drainage.
Vermeerdering. Knolbegonia's kunnen we op drie manieren vermeerderen. Uit zaad in januari/februari, via scheutstek van uitgelopen knollen of door knollen voor het oppotten in stukken te snijden. Bij deze laatste en meest gebruikte methode moet u erop letten dat ieder stukje knol een oog heeft dat uit kan lopen. Snijwonden vóór het oppotten op laten drogen.
Het zaad van begonia's is ongelooflijk fijn. De enige soort die vooral uit zaad wordt opgekweekt is *B. semperflorens* met zijn hybriden. Zaai onder glas bij 20 °C in een mengsel van scherp zand en bladaarde. Dubbelbloemige hybriden wint u uit stek.
Botanische soorten vermeerderen via scheut- of bladstek. Scheutstekjes bewortelen zonder probleem zowel op water als in stekgrond.

Campanula isophylla, ster van Bethlehem, links 'Alba' en rechts 'Mayi'.

Campanula (Klokjesbloem)

Een leuke, ouderwetse hangplant, die rijk bloeit en makkelijk te verzorgen is. Oorspronkelijk groeien klokjesbloemen op kalkrijke gebergten in Europa en Voor-Azië. De afgebeelde *Campanula*'s en *C. fragilis* zijn geschikt als kamerplant, de andere soorten gebruiken we in onze tuinen.
Verzorging. Zet of hang uw *Campanula* op een lichte plaats, waar de felste middagzon niet komt. Veeleisend is hij niet, want hij bloeit ook voor een raam op het noorden. In de zomer is het een prima balkonplant. Vergeet echter nooit hem weer vroeg in september binnen te halen, omdat hij zeer vorstgevoelig is.
Tijdens de groei de potkluit vochtig houden. De watergift zal sterk afhangen van de plaats die u voor uw klokjesbloem verkiest. Matig hoge luchtvochtigheid. Wekelijks bijmesten met een oplossing van normale concentratie. Uitgebloeide bloemen moet u regelmatig verwijderen, anders wordt door zaadvorming te veel kracht aan de plant onttrokken. In de herfst minder gieten en voor de winter oude bloemstengels terugsnijden. Op een lichte plek bij 6-8 °C overwinteren. In het voorjaar oppotten in standaardpotgrond of in een mix van gelijke delen bladaarde en kleigrond met wat oude koemest.
Vermeerdering. Houd de net opgepotte *Campanula isophylla* voorlopig bij een temperatuur van 10-15 °C en geef matig water. Bij hogere temperaturen worden de scheuten te slap om stek van te snijden. Snijd stevige kopstekken van 5 tot 7 cm lengte en doop ze even in groeistof voordat u ze in een mengsel van turf en zand laat bewortelen. *C. fragilis* wordt vermeerderd uit zaad. Bij zaaien in het vroege voorjaar volgt de kieming na een kleine twee weken.

Capsicum annuum, diverse kleuren.

Capsicum (Sierpeper, Spaanse peper)

De vrolijke sierpepers behoren net als aardappel, tomaat en paprika tot de nachtschaden en komen oorspronkelijk uit Midden- en Zuid-Amerika, waar ze nu nog gekweekt worden om de scherp smakende vruchten, die rijk zijn aan vitamine C. Na verwijdering van de zaden kunt u ze zelf ook in de keuken gebruiken. De pepertjes behoren bij voorbeeld tot de ingrediënten die u nodig heeft bij de bereiding van sambal.
Verzorging. Het aanbod van sierpepers is het grootst tegen Kerstmis. De vruchten zijn dan al gevormd en om ze mooi af te laten rijpen zet u de plantjes op een lichte, koele plaats. Let bij aankoop op de onderzijde van de blaadjes. Dat is de plaats waar ongedierte zich bij voorkeur nestelt. Wortelkluit gelijkmatig vochtig houden en minstens eenmaal per dag sproeien. De naam *Capsicum annuum* geeft aan dat de sierpeper eenjarig is. Nadat de vruchtjes verdord zijn kunt u hem dus wegdoen.
Kweekt u de plantjes zelf op, zorg dan voor een lichte plaats zonder directe zonbestraling en een temperatuur van 15 °C. 's Zomers kunt u ze ook op het balkon of in de tuin zetten. Regelmatig gieten en besproeien. Tijdens de bloei bevordert vaak sproeien de bestuiving. In de zomer eens in de drie weken bijvoeden met een voedingsoplossing van normale concentratie. De pepers mogen niet te vochtig staan om grauwe schimmel te voorkomen.
Vermeerdering. Zaaien in maart bij 15-18 °C. De zaden kunt u uit de verschrompelde vruchten halen en droog bewaren tot de tijd van uitzaai daar is. Na verspenen oppotten in standaardpotgrond met wat extra bladaarde of turf.

Links *Catharanthus roseus* 'Ocellatus', achter en rechts *Catharanthus roseus.*

Catharanthus

Vroeger heette deze soort *Vinca rosea,* vertaald roze maagdenpalm, waaruit we op kunnen maken dat het een familielid is van de maagdenpalm die in onze tuinen zo'n dankbare bodembedekker is. Aan de bloemen is de verwantschap ook duidelijk te zien. *Catharanthus*-soorten komen in de tropen algemeen voor. *C. roseus* komt uit Madagascar. Eigenlijk is het een meerjarige plant, maar bij ons wordt hij eenjarig gekweekt en meestal in het voorjaar te koop aangeboden.
Verzorging. Geef *Catharanthus* een lichte plaats, waar de felste zonnestralen echter niet mogen komen. In de zomer mag dat ook een beschut plekje in de tuin zijn. Regelmatig water geven met onthard, lauwwarm water, zodat de wortelkluit niet uitdroogt. De maagdenpalm houdt ook van een vochtige atmosfeer, zodat af en toe sproeien onontbeerlijk is. Mest eens in de veertien dagen bij met een oplossing van normale concentratie. Wilt u proberen de planten over te houden, dan bij 12-18 °C overwinteren. In deze koele periode uiteraard wat minder gieten en niet bijmesten. In het voorjaar terugsnoeien en eventueel verpotten. Als u een kasje heeft kunt u ze daar de eerste tijd het best inzetten. Na de hergroei topt u de scheuten als ze ongeveer zes bladeren hebben gemaakt, dan krijgt u een goed vertakte plant.
Vermeerdering. De topjes die u van de overwinterde planten nijpt kunt u als stek gebruiken. Laat ze op warmte bewortelen in een zanderig grondmengsel. Regelmatig toppen om bossige planten te verkrijgen. Wilt u beworteld stek overwinteren, dan in augustus stekken. Zaaien is ook mogelijk, in februari/maart in de warme bak. Bij het oppotten meerdere jonge plantjes in een pot plaatsen.

V.l.n.r. *Citrus microcarpa* met bloemen, *Citrus microcarpa* met vruchten en *Citrus limon*.

Citrus (Sinaasappelboompje)

De Latijnse naam *Citrus* betekent eigenlijk citroenboompje, maar het geslacht *Citrus* omvat meer dan dat: mandarijn, grapefruit en sinaasappel. Van de twaalf bekende soorten komen de meeste uit oostelijk Azië, de grapefruit stamt uit West-Indië. Naast de heerlijke vruchten zijn ook de bloemen aantrekkelijk. Ze geuren zoet en werden vooral vroeger veel in de bloemsierkunst gebruikt, ook al om de goede houdbaarheid. Voor de huiskamer is *Citrus microcarpa* het geschiktst, daar hij al op jonge leeftijd voor een overdaad aan bloemen en vruchten zorgt.
Verzorging. *Citrus* houdt van een licht, zonnig plekje waar het niet al te warm wordt. 's Zomers staat hij graag buiten op een beschutte plaats. Tijdens de groei ruim water geven. Het blad regelmatig bespuiten is altijd prima, maar omdat de bladeren enigszins leerachtig zijn wordt droge kamerlucht redelijk goed verdragen. Het is belangrijk dat u de *Citrus* koel overwintert, bij 4-6 °C. In die periode geeft u nauwelijks water en geen voeding. In het voorjaar kunt u – alleen waar nodig – wat bijsnoeien en verpotten in een lemig grondmengsel van bladaarde, graszodengrond en wat scherp zand. Wilt u alleen de bovenste laag potgrond verversen, neem dan een mengsel van klei en oude koemest. Na twee maanden gaan we wat bijmesten, wekelijks een normaal geconcentreerde dosis. Als het blad wat gelig ziet een oplossing van ijzersulfaat toedienen: een theelepel op een liter water.
Vermeerdering. Door stek in een mengsel van turf en zand, op warme voet.
Het is mogelijk leuke plantjes te kweken uit de zaden van een door u gewaardeerde zuidvrucht. Helaas zullen die nauwelijks bloeien. Wel kunt u ze als onderstam gebruiken en er een bloeiende soort op enten.

Clivia miniata

Clivia

Lid van de *Amaryllis*-familie en afkomstig uit Zuid-Afrika. Niet zo'n hele makkelijke kamerplant omdat hij nogal wat eisen stelt aan watergift en temperatuur. Vóór de opkomst van centraal verwarmde huizen was de *Clivia* een veel voorkomende gast, die woonde in een koele hal of kamer, en daar jarenlang zijn vaste plaatsje had.
Verzorging. Het is belangrijk *Clivia*'s zo min mogelijk te verplaatsen. 's Zomers staan ze graag op een beschutte, halfbeschaduwde plaats buiten. In de woning een licht beschaduwde plek geven, bij voorbeeld voor een raam met ochtendzon. Bij een zonne-overschot worden de bladeren geel. Om goed tot bloei te komen is een koele overwinteringsperiode bij 8-10 °C van cruciaal belang. In die tijd geeft u ook maar heel weinig water en dat houdt u vol tot de bloemstengels 15 à 20 cm lang zijn. Pas dan mag de *Clivia* wat meer water en warmte krijgen. Onder in de pot mag nooit water blijven staan want de vlezige wortels rotten snel. Gebruik lauwwarm water, ook voor het sproeien en het afnemen van de bladeren.
Van februari, of later als zich later bloemstengels vormen, tot augustus iedere veertien dagen bijvoeden met een normaal geconcentreerde oplossing. Daarna, tot de rustperiode in oktober aanbreekt, eens per maand voeden. Na de bloei kunt u verpotten, jonge planten ieder jaar, oudere eens in de drie jaar. Let goed op dat de wortels niet beschadigd worden. Gebruik een mengsel van lemige graszodengrond, beukebladaarde, oude koemest en bloed-, hoorn- en beendermeel.
Vermeerdering. Via uitlopers, die minstens vier bladeren gevormd moeten hebben, voor u ze van de moederplant los mag maken. Uit zaad is ook mogelijk. Laat uw eigen *Clivia* liever geen zaad schieten, want het put de plant erg uit.

V.l.n.r. *Columnea gloriosa*, *C. microphylla*, *C.* × *banksii* en *C. hirta*.

Columnea

Columnea's groeien oorspronkelijk in de vochtige oerwouden van tropisch Midden-Amerika. In onze huiskamers kweken we voornamelijk hangende en kruipende soorten, maar af en toe komen we ook wel eens een opgaand familielid tegen. De soorten met behaarde bladeren zijn minder sterk dan die met gladde bladeren. Naast de afgebeelde groene soorten zijn er ook leuke bontbladigen.

Verzorging. Een lichte sta- of hangplaats zonder directe zonbestraling is geschikt. Houd een temperatuur tussen 18 en 23 °C aan, behalve tijdens de rustperiode in december/januari, wanneer 16 °C gewenst is. Deze koele periode werkt bloeibevorderend. Zodra de nieuwe knoppen verschijnen geleidelijk warmer zetten en meer gaan gieten. Neem lauwwarm, onthard water. Als we bedenken waar de plant vandaan komt, is het duidelijk dat het hele jaar door een vrij hoge luchtvochtigheid gewenst is. Omdat we niet altijd kunnen sproeien – vooral niet bij behaarde soorten, of als de knoppen kleuren, of als de planten bloeien – is een elektrische verdamper de beste oplossing. *Columnea*'s willen ook in een keuken nogal eens welig tieren omdat daar door het koken de lucht vochtiger is. Tijdens de groei eens per tien dagen bijmesten met een kalkvrij voedingsmiddel. Uitgebloeide planten terugsnoeien. Omdat *Columnea*'s bloeien op nieuwe scheuten, werkt dit bloeibevorderend. We kunnen nu ook meteen verpotten. Gebruik een speciaal epifytenmengsel: bosgrond, vermengd met turf, sfagnum of varenwortel, houtskool en oude koemest.

Vermeerdering. Uit zaad is mogelijk, maar stekken wordt veel algemener toegepast. Stek krijgt u bij het terugsnoeien van de plant. Laat stekjes in turfmolm en zand onder glas op warme voet bewortelen.

Cyclamen persicum, met midden voor en rechts achter de kleinbloemige typen of 'Wellensiek'-cyclamen.

Cyclamen (Cyclaam, alpenviooltje)

Vooral tegen de kerst ontbreekt de cyclaam in bijna geen enkele Nederlandse huiskamer. In het wild vinden we ze tijdens onze vakanties vaak in Middellandse-Zeelanden, en verder in Klein-Azië en Iran.
Verzorging. Als u een bloeiende cyclaam krijgt, zet hem dan niet meteen in uw verwarmde huiskamer. Bij de bloemist worden ze koel opgekweekt en de optimale temperatuur ligt tussen 10 en 16 °C. Uitgebloeide bloemen en geel geworden bladeren regelmatig wegnemen, zo dicht mogelijk bij de knol. Tijdens de bloei ruim gieten, liefst warm water op de schotel en wat na een half uur niet opgedronken is wegdoen. Om de twee weken bijvoeden met normaal geconcentreerde meststof.
Van uw cyclaam kunt u jarenlang plezier hebben als u hem over weet te houden. Na de bloei gaat u geleidelijk minder gieten. De bladeren zullen dan op den duur verdrogen. Laat de knol in de pot en geef een koele rustperiode van 1 à 2 maanden, waarin u alleen wat water geeft om te voorkomen dat de knol inschrompelt. In de zomer mogen de planten buiten staan. Na de rusttijd plant u de cyclaam op in verse potgrond, bestaande uit gelijke delen klei, bladaarde en oude koemest, of standaardpotgrond met extra klei. Haal meteen alle dode wortels weg. Laat de bovenkant van de knol iets boven de aarde uitsteken als u oppot.
Cyclamen houden van een matige luchtvochtigheid. Planten die geen bloemen dragen kunt u rustig besproeien. Bloemen niet benevelen, dat geeft smetten. Voortijdig geel worden van het blad is het gevolg van te veel of te koud water of een te donkere standplaats.
Vermeerdering. Zaaien bij 16-18 °C eind januari of eind augustus.

Links *Episcia cupreata* en rechts *E. reptans.*

Episcia

Net als andere *Gesneriaceae* groeit ook *Episcia* het liefst op beschaduwde plaatsen; vandaar de naam die afgeleid is van het Griekse *episkios*, wat beschaduwd betekent. Dit geslacht telt 40 soorten, die in de vochtige regenwouden van Midden- en Zuid-Amerika hun thuis hebben.

Verzorging. Eigenlijk kweken we deze plant zowel om zijn mooie blad als om de vriendelijke, vaak fel gekleurde bloemetjes. Ze maken heel makkelijk uitlopers en we kunnen *Episcia* dan ook goed als bodembedekkertje in kas of bloemenvenster gebruiken. Als hangplant is hij ook heel geschikt. Zet *Episcia* nooit in de zon, maar wel licht om de mooie bladtekening optimaal te laten kleuren.

Het is jammer dat *Episcia* zoveel moeite heeft met onze droge kamerlucht. In de zomer kunt u deze plantjes wel vrij makkelijk in de kamer kweken, maar in de winter levert dit door de vrij lage relatieve luchtvochtigheid in de meeste kamers – 40% – problemen op. Zet ze dan enkele graden koeler of dicht bij de verdamper.

De minimum-wintertemperatuur is 16 °C, en als u dit aanhoudt, dan wat minder water geven. Tijdens de groei regelmatig gieten, om de potkluit gelijkmatig vochtig te houden. Onthard water gebruiken. Nooit direct op het blad sproeien, dat veroorzaakt vooral bij behaarde soorten vlekken. Iedere veertien dagen aan het gietwater een kalkarme voedingsoplossing van normale concentratie toevoegen. De uitgebloeide bloempjes haalt u steeds weg.

In de lente verpotten in een mengsel van naaldenbosgrond met oude koemest. Verpakte potgrond met wat extra turfmolm erdoor voldoet ook.

Vermeerdering. Door uitlopers, blad- of stengelstek.

Euphorbia pulcherrima, diverse tinten.

Euphorbia (Wolfsmelk)

Euphorbia is een heel groot geslacht dat wel 2000 soorten telt. Op deze bladzijde behandelen we alleen de kerstster, *E. pulcherrima*. Voor de andere bekende familieleden moet u bij de afdeling 'andere succulenten' op blz. 104-105 kijken. De kerstster is inheems in de vochtige bergstreken van Midden-Amerika en Mexico.
Verzorging. Wilt u lang plezier hebben van de prachtig gekleurde schutbladen, dan mag de temperatuur eigenlijk niet boven de 18 à 20 °C komen. Tijdens de bloei een lichte standplaats geven, maar geen directe zonbestraling. Matig hoge luchtvochtigheid en regelmatig gieten met lauwwarm water. Te droge lucht kan wol- en schildluis of spint tot gevolg hebben en gieten met koud water veroorzaakt bladval.
Na een aantal maanden zullen de schutbladen afvallen of naar groen verkleuren. Dan is de tijd gekomen om de scheuten terug te snijden. Stelp de wit bloedende wonden met houtskoolpoeder. Houd de plant wat koeler, bij 12-15 °C. Al gauw zullen zich nieuwe scheuten gaan ontwikkelen, die u nogmaals kunt toppen als u een hele mooie en bossige plant wilt krijgen. Om geel blad te voorkomen moet u nu ook verpotten in een mengsel van bladaarde en klei. In de zomer staan kerststerren graag buiten. Tijdens de groei wekelijks bijmesten met een voedingsoplossing in normale concentratie. In september weer naar binnen halen en de temperatuur op 17 °C houden. Om de kerstster weer in bloei te krijgen moeten we een periode van twee maanden inlassen, waarin hij maar tien uur licht per dag krijgt. De kerstster, een kortedagplant, krijgt daardoor een bloeiprikkel.
Vermeerdering. Van topscheuten in lente of zomer. Dompel de stekken eerst in houtskoolpoeder of groeistof, daarna in een mengsel van turf en zand, bij 20 °C.

V.l.n.r. *Fuchsia* 'Frau Ida Noack', *F.* 'Carmel Blue', *F.* 'Coralle'.

Fuchsia (Bellenplant)

Echte liefhebbersplanten, die in het wild groeien op het Zuidamerikaanse continent, van Mexico tot Chili, veelal in vochtige bergwouden. We vinden ze echter ook op de Falkeilanden, in Nieuw-Zeeland en Tahiti. Naast de honderd soorten zijn inmiddels zoveel variëteiten gekweekt, dat het zeer de moeite waard is een grote collectie *Fuchsia*'s aan te leggen.
Verzorging. Geef de bellenplanten voldoende frisse lucht, een licht beschaduwd en koel plekje en zorg voor een matig hoge luchtvochtigheid. Vanaf half mei mogen ze naar buiten, liefst op een beschut plekje. Regen beschadigt de bloemen, dus als het lang slecht weer is kunt u ze beter even onder een afdak zetten of naar binnen halen. Tijdens de groei altijd de wortelkluit vochtig houden en van mei tot augustus iedere tien dagen bijmesten met normaal geconcentreerde voeding.
We kunnen *Fuchsia*'s binnen laten overwinteren op een koele, lichte plaats. Minimumwintertemperatuur 6-10 °C. Weinig gieten, maar de kluit niet uit laten drogen. Het is ook mogelijk de *Fuchsia*'s in de winter buiten te laten. Kuil ze dan 60 cm diep in. In het voorjaar voorzichtig opgraven, flink terugsnijden, langzaam aan hogere temperaturen laten wennen en verpotten. Standaardpotgrond voldoet, maar u kunt een eigen mengsel maken van bladaarde, verteerde koemest, leem en wat bloedmeel. Om bossige planten te krijgen topt u de scheuten regelmatig.
Vermeerdering. De topjes kunt u als stek gebruiken. Haal de onderste twee blaadjes eraf en bewortel ze op water of in een mengsel van turf en zand, bij 15-20 °C. Via zaad kunt u proberen nieuwe rassen te kweken.

Hibiscus rosa-sinensis, diverse rassen.

Hibiscus (Chinese roos)

De oorspronkelijke, enkelbloemige soort komt – zoals de Nederlandse naam al aangeeft – uit China. Tegenwoordig zijn er allerlei kweekprodukten op de markt in vele kleuren, vaak dubbelbloemig. Heel mooi, maar helaas niet zo sterk.
Verzorging. Eindelijk een plant die we met een gerust hart in de volle zon kunnen laten staan. De *Hibiscus* houdt van zon en warmte. Alleen in de winter heeft hij een koele periode nodig bij 12-15 °C. Een gematigde kas is een uitstekende plaats, maar een koele slaapkamer voldoet ook. Weinig gieten, maar oppassen voor uitdroging.
In het voorjaar gaan we verpotten in standaardpotgrond of in een mengsel van bladaarde, klei of leem en oude koemest. Zorg voor een goede drainage. Om een mooie vorm en een bossige plant te krijgen snoeien we de Chinese roos nu ook een stukje terug. Zet de plant wat warmer, nooit op de tocht. Als er bloemknoppen aanzitten de plant niet meer draaien, want dat veroorzaakt knopval. Dat gebeurt ook wel eens als er een *Hibiscus* vanuit de bloemenwinkel bij u in de kamer komt. Tijdens de groei regelmatig water geven en besproeien. Vanaf juni tot half augustus iedere veertien dagen bijvoeden met kamerplantenmest, of, als uw Chinese roos buiten staat, met wat oude koemest. De enige *Hibiscus* die goed buiten kan staan 's zomers is de ouderwetse, enkelbloemige *Hibiscus*.
Vermeerdering. Van april tot augustus kunnen we kopstekken snijden en die op warme voet onder glas of plastic laten bewortelen. Snijd stekjes van ongeveer 10 cm lengte van onverhoute stengeldelen. Nadat de stekken in een mengsel van turf en zand beworteld zijn, potten we ze in de loop van het seizoen op in standaardpotgrond. Houd de jonge plantjes binnen en bescherm ze tegen de felle middagzon.

V.l.n.r. *Hoya bella*, *H. fosteriana* en *H. carnosa* 'Variegata'.

Hoya (Wasbloem)

In Zuid-China, de Indische archipel en in Australië kunnen we zo'n 200 soorten in het wild aantreffen. In onze huiskamers zien we meestal maar drie soorten, te weten *Hoya australis*, *H. carnosa* en *H. bella*.
Verzorging. De eerstgenoemde twee soorten worden ook wel grote wasbloem genoemd, *H. bella* heet bij ons kleine wasbloem. De cultuur is ook verschillend.
H. australis en *H. carnosa* houden van veel licht; alleen voor de felste zonnestralen moet geschermd worden. Te weinig licht resulteert in geringe knopvorming. De bloemen verschijnen trouwens altijd aan de vensterzijde. De plant mag niet gedraaid worden als er knoppen of bloemen aan zitten. Vanaf oktober lassen we een koele rustperiode in bij 10 tot 14 °C. We geven dan weinig water en geen voedsel.
Wolluis, spint en schildluis komen meestal alleen in planten die te warm overwinterd zijn. In het voorjaar kunnen we verpotten in standaardpotgrond of in een speciaal mengsel van leem, bladaarde en wat oude koemest en scherp zand. Zorg dat tijdens de groei de potkluit nooit uitdroogt. Tijdens de bloei eens in de drie weken wat bijmesten. Te veel mest werkt nadelig op de bloemvorming.
De kleine wasbloem is een warme-kasplant. Hij heeft wat minder licht nodig, maar een hogere luchtvochtigheid. Minimum-wintertemperatuur is 18 °C. Gebruik een luchtig grondmengsel, zoals boven beschreven, maar dan met extra perlite of sfagnum. Zorg voor een goede drainage, in verband met wortelrot. Altijd gieten met onthard water, want *Hoya*'s zijn gevoelig voor hoge zoutconcentraties.
Vermeerdering. In de zomer kunt u oog- of kopstek nemen, die u bij 20-25 °C laat bewortelen. *H. bella* bloeit pas goed wanneer we hem enten op *H. carnosa*.

V.l.n.r. *Impatiens walleriana, I. balsamina, I. walleriana.*

Impatiens (Vlijtig liesje, springzaad)

Het vlijtig liesje is een vanouds zeer bekende en beminde kamerplant, die weinig problemen en veel vreugde geeft. Er bestaan wel 400 soorten *Impatiens*, vooral afkomstig uit tropisch en subtropisch Azië, Afrika en de eilanden ten oosten daarvan. In de gematigde streken van Azië, Amerika en Europa komen acht soorten in het wild voor. Omdat rijpe vruchten bij aanraking openspringen, zodat de zaden op de aarde kunnen vallen, hebben deze planten de bijnaam springzaad gekregen.
Verzorging. De boven afgebeelde soorten zijn geschikt voor kamercultuur en verlangen veel licht en zelfs wat zon om tot rijke bloei te komen. De rassen die verkocht worden voor gebruik op balkons en in de tuin verdragen juist veel schaduw.
Tijdens de groei verbruikt het vlijtig liesje veel water. Giet dus regelmatig, zodat de wortelkluit niet uitdroogt en neem hiervoor liefst onthard water. Met de opkomst van de raintainer is het makkelijk geworden om aan regenwater te komen. *Impatiens* prefereert een hoge luchtvochtigheid. Besproei nooit de bloemen, dat geeft smetten. De bloeiperiode kunt u verlengen door wekelijks voedsel toe te dienen in normale concentratie. Te droge lucht en te weinig voedsel zijn vaak oorzaak van aantasting door witte vlieg, bladluis of spint. Dit gedierte is erg dol op de sappige stengeltjes en blaadjes.
Oudere planten zijn vaak niet meer zo mooi; ze worden van onderen kaal en zien er wat stakig uit. Daarom is het goed minstens eenmaal per jaar te stekken. U kunt oude planten iets koeler overwinteren en in die periode wat minder gieten.
Vermeerdering. In het voorjaar snijdt u er dan kopstek van. Het bewortelen gaat heel gemakkelijk op water of in een mengseltje van zand en turf. Zaaien bij 18-20 °C.

Nerium oleander

Nerium (Oleander)

Wie kent ze niet van zijn zonnige excursies in het Middellandse-Zeegebied? In Zuid-Frankrijk staan oleanders zelfs in de middenberm van de snelweg, waaruit we mogen concluderen dat het sterke planten zijn. De nieuwste rassen, gevuldbloemigen, zijn wat minder sterk.
Verzorging. Van mei tot september prijkt de oleander graag op een beschut balkon of terras in de volle zon. Frisse lucht doet hem veel goed. Geef in die groeiperiode voldoende water, zodat de potkluit niet uitdroogt. Liefst regenwater. Planten die met koud water begoten worden krijgen lichtgroen blad en een verpieterd uiterlijk. Geef daarom altijd warm water. Van mei tot augustus eens in de drie weken wat natuurlijke mest toedienen, bij voorbeeld oude koemest. Veel mesten en water geven laat de oleander wel snel groeien, maar niet bloeien, dat moet u in het oog houden. In september moet de oleander naar binnen. Het is belangrijk voor een goede ontwikkeling in het volgende jaar, dat we een koele en wat droge overwinteringsperiode inlassen. Een temperatuur tussen 5 en 10 °C is ideaal. Vooral als het buiten warm en zonnig is moet voldoende gelucht worden, zodat de temperatuur niet te veel op kan lopen. Weinig gieten, maar nog steeds met warm water.
Gebruik altijd goed gedraineerde, liefst plastic potten, met daarin een lemig grondmengsel. Grote exemplaren hoeft u echt niet ieder jaar te verpotten.
In het voorjaar kunt u de oleanders insnoeien, waarna ze weer prachtig uit zullen lopen.
Vermeerdering. In juni/juli kunnen we kopstekken op water laten bewortelen. Beter is het om een middenstuk van een scheut te nemen, met twee bladkransen.

V.l.n.r. *Passiflora caerulea, P. violacea* en een *P. violacea*-hybride.

Passiflora (Passiebloem)

De naam van dit bijzonder fraai gebloemde plantengeslacht is afgeleid van de Latijnse woorden *passio* en *flos*, die respectievelijk lijden en bloem betekenen. In de aparte bloemvorm kan men symbolisch het lijden van Christus herkennen.
De meeste van de 400 soorten komen uit tropisch Amerika, maar ook in Azië, Polynesië en Australië zijn enkele soorten inheems. Vooral in Australië teelt men de passiebloem steeds meer om zijn verrukkelijke vruchten.
Verzorging. Voor kamercultuur kunt u zich het best *Passiflora caerulea* aanschaffen. Heeft u een kas of bloemenvenster dan zult u met de andere soorten ook succes boeken. *P. caerulea* is zo sterk dat u hem ook als klimplant tegen de gevel kunt leiden. Zet hem dan wel op een zuidmuur en bescherm hem vooral de eerste jaren tegen vorst. Tot diep in de herfst versieren de oranje vruchten dan de gevel. In de kamer geven we de passiebloem een zonnig plekje en tijdens de groei veel water en iedere week voedsel van normale concentratie. Zorg dat de wortelkluit nat is voordat u het voedsel toedient. De ranken van potplanten leidt u langs plastic of ijzeren steunsels.
Passiebloemen die in de koude kas in de volle grond zijn gepoot ranken prachtig langs het kasdak. Bij felle zon moet u dan wel iets schermen. Voor een goede bloei in het volgende jaar is een koele overwinteringsperiode bij 5 °C noodzakelijk. Weinig gieten en niet voeden. Het blad kan wat geel worden, maar dat is niet alarmerend. Begin maart snoeien we terug tot op 6 à 8 ogen. Verpotten in standaardpotgrond of een leemhoudend mengsel van eigen makelij. Vlak na het snoeien schermen tegen volle zon.
Vermeerdering. Door worteluitlopers of kopstekjes, die op warme voet bewortelen.

V.l.n.r. achter: *Pelargonium grandiflorum* 'Maréchal Foch', *P. zonale* 'Friesdorf'; voor: *P. grandiflorum*-hybride, een hangende *zonale*-hybride en *P. zonale* 'Dawn'.

Pelargonium (Geranium)

Al in de achttiende eeuw werden vanuit Zuid-Afrika *Pelargonium*'s naar Europa gebracht. Er bestaan zo'n 250 wilde soorten en een groot aantal hieruit voortgekweekte rassen. Op deze bladzijde praten we uitsluitend over de *Pelargonium*'s die om de bloemen gekweekt worden. Alles over 'bladgeraniums' vindt u op blz. 73.

Verzorging. *Pelargonium*'s zijn sterke planten die van veel zon houden. De Franse geraniums, *P. grandiflorum*-hybriden, zijn wat gevoelig voor koude en worden daarom alleen binnenshuis gekweekt. De *P. zonale-* en *peltatum*-hybriden kunnen vanaf half mei naar buiten. Omdat alle geraniums enigszins succulent zijn kunnen ze met relatief weinig water toe. Daarom zijn het ideale balkonplanten – als u ze eens een keertje vergeet gaan ze niet meteen slap hangen. De *P. grandiflorum*-hybriden zijn iets gevoeliger en verlangen ook in dit opzicht wat meer aandacht. Geef echter nooit te veel water, want 'natte voeten' zijn schadelijk voor de geraniumgezondheid. Tijdens de groei eens in de drie weken bijmesten (normale concentratie).

Overwinter Franse geraniums bij 8-10 °C, de *P. zonale-* en *peltatum*-hybriden bij temperaturen rond 5 °C. Laatstgenoemde planten kunt u 's winters ook ingraven.

In het voorjaar flink terugsnoeien en oppotten in standaardpotgrond. Zorg voor een goede drainage in de pot.

Vermeerdering. Meestal houden we geraniums niet zo lang aan, omdat ze op latere leeftijd wat stakerig uitgroeien en moeilijker overwinteren. Gelukkig is het erg makkelijk om geraniums te stekken. Als we half augustus stekken hebben we vóór de winter bewortelde plantjes. Neem kopstek, laat de stekken even drogen en stop ze dan in een zanderig stekmengsel. Houd jonge planten in de lente koel.

V.l.n.r. *Primula malacoides, P. vulgaris* en *P. obconica.*

Primula (Sleutelbloem)

Het *Primula*-geslacht omvat wel 550 soorten, die overwegend in de gematigde klimaatzones van Europa, Azië en Noord-Amerika voorkomen, waar ze groeien op koele, vochtige en beschaduwde plaatsen.
Verzorging. Uit voorgaande beschrijving blijkt duidelijk hoe moeilijk we het de *Primula* maken als we hem in onze droge, warme doorzonkamers zetten. De meeste sleutelbloemen worden dan ook als weggooiplanten beschouwd. Probeer ze zo lang mogelijk in bloei te houden door ze op de koelste plekjes van het huis neer te zetten, wel in het licht, maar nooit in de volle zon. Tijdens de bloei veel gieten met regenwater. Niet het blad bespuiten. Geef eens in de twee weken voedsel, de helft van de normale concentratie aanhouden. In de zomer kunnen de *Primula*'s naar buiten. *P. vulgaris* is eigenlijk een echte tuinplant, die meteen in de lente al op het balkon of in de tuin mag staan. *P. malacoides* is heel moeilijk voor een tweede keer in bloei te krijgen. Dat lukt vaker bij de Chinese primula, *P. praenitens* en bij de jeukprimula of *P. obconica.* Beide planten zijn ook wat minder gevoelig voor droge kamerlucht. Overwinter ze bij minimaal 5 °C.
Planten die u over wilt houden verpot u na de bloei. Standaardpotgrond voldoet goed. Omdat sleutelbloemen van iets zure grond houden kunt u wat extra turf toevoegen. Gebruik plastic potten en draineer goed. Uitgebloeide bloemstengels en vergeelde bladeren regelmatig verwijderen.
Vermeerdering. In juni zaaien als u het volgende voorjaar bloeiende planten wilt hebben. Zaai bij 16 °C. Bedek het zaad niet of nauwelijks met aarde. Na het verspenen tot september buiten verder opkweken. 's Winters in de koude kas.

V.l.n.r. *Rhododendron obtusum*, de Japanse azalea, *R. simsii* op stam, *R. simsii*, de Indische azalea, enkelbloemig en *R. simsii* met gevulde bloemen.

Rhododendron (Azalea)

De *Rhododendron* groeit in het wild in China en Japan, op beschaduwde, enigszins vochtige plaatsen. De Indische azalea is uitsluitend geschikt voor kamercultuur, maar de Japanse azalea is winterhard en kan ook in de tuin gekweekt worden. Hij zal dan in mei/juni bloeien, terwijl door kwekers speciaal getrokken rassen van oktober tot april bloeiend aangeboden worden.
Verzorging. Denkend aan de natuurlijke standplaats van de azalea, is het duidelijk dat deze planten binnenshuis een koele standplaats prefereren. Als het even kan een maximum van 15 °C aanhouden. Hoe lager de temperatuur, hoe langer de bloei.
Om een matige tot hoge luchtvochtigheid te waarborgen kunt u de azalea's iedere dag besproeien zolang de knoppen nog niet open zijn. Vooral de bloemen van de Indische azalea smetten snel. Een verdamper is ook hier de ideale oplossing. Is de lucht te droog dan vallen de knoppen af. Tijdens de bloei ruim gieten, altijd met onthard water. Ons kalkhoudende leidingwater mag u beslist niet gebruiken.
Nog niet voeden. Als de plant uitgebloeid is de afgestorven delen verwijderen, samen met de nieuwe scheutjes die zich gevormd hebben. Pas de na half april gevormde scheuten mogen blijven zitten. Zet de azalea nu nog koeler, 6-10 °C. Eind mei mogen de azalea's de tuin in, waar u ze op een beschut en beschaduwd plekje ingraaft. Regelmatig gieten en nu ook eens in de veertien dagen bijmesten met een kalkarm voedingsmiddel. Vóór de eerste nachtvorsten naar binnen halen en daar op een koele, lichte en vochtige plaats houden tot de bloemknoppen gaan kleuren.
Een maand na de bloei verpotten in naaldenbosgrond met wat oude koemest.
Vermeerdering. In lente of zomer via scheutstek bij 20-25 °C onder glas.

Saintpaulia ionantha, diverse tinten.

Saintpaulia (Kaaps viooltje)

Kaapse viooltjes komen uit de oerwouden van tropisch Oost-Afrika. Er zijn zo'n twintig soorten bekend, maar bij ons in de huiskamers vinden we bijna uitsluitend *Saintpaulia ionantha*-rassen, waarschijnlijk omdat die redelijk bestand zijn tegen de droge lucht waarin wij leven.
Verzorging. Kaapse violen kunnen bijna het hele jaar door bloeien. Alleen in de winter, als de daglengte te kort is, worden geen bloemen gevormd. Natuurlijk kunt u dan met kunstlicht de dag verlengen, maar misschien is het wel zo aardig ze een poosje rust te gunnen bij 16 °C. Geef tijdens die overwinteringsperiode wat minder water en geen voedsel. Nadat ze een maandje winterslaap gehouden hebben kunnen ze er weer tegen. Pot ze op in nieuwe aarde, standaardpotgrond met extra turf, in lage, brede potten en zorg voor een goede drainage. Naaldenbosgrond is ook heel goed te gebruiken. Waar u op moet letten is dat er zo min mogelijk kalk in potgrond, water en meststof zit, want daar houden Kapen niet van.
Na het verpotten zetten we de plantjes wat warmer en geven geleidelijk wat meer water, lauwwarm en kalkarm. Zorg dat het water niet op de blaadjes terechtkomt. Houd een matige tot hoge luchtvochtigheid aan.
Een Kaapse viool die veel blad en weinig bloemen produceert krijgt te veel stikstof binnen. Geef dan stikstofarme mest en haal steeds wat blad weg, net zolang tot het teveel aan stikstof verbruikt is. De meest ideale plek voor Kaapse violen is voor een raam op het oosten, waar ze genoeg licht, maar niet te veel zon krijgen.
Vermeerdering. Neem bladstek met een steeltje dat op water of in stekgrond heel makkelijk bewortelt. Bodemtemperatuur 22 °C.

Senecio cruentus-hybriden, diverse tinten.

Senecio (Kruiskruid)

Senecio is een heel omvangrijk geslacht dat wel 1300 soorten telt, waaronder veel succulenten. Daarover kunt u meer lezen op blz. 110. Hier praten we uitsluitend over *Senecio cruentus*, ook bekend onder de naam *Cineraria*, of, in goed Nederlands: luizenplant. Dat laatste klinkt meteen wat afschrikwekkend, maar als u de juiste cultuurmaatregelen treft valt het nogal mee. *Senecio cruentus* is inheems op de Canarische eilanden.

Verzorging. De hoofdaanvoerperiode van deze planten is in april/mei. Wanneer u *S. cruentus* koopt of krijgt, geef hem dan niet meteen een plaats in de verwarmde huiskamer. Nee, de luizenplant wil graag op een koele, lichte, maar niet zonnige plaats staan, waar het absoluut niet mag tochten. Luis verschijnt over het algemeen alleen op planten die te warm staan of op de tocht. Zorg voor een matig hoge luchtvochtigheid. Af en toe sproeien. Het grote blad kan nogal wat water verdampen. Het is prima als u de plant regelmatig doopt. Verder regelmatig water geven.

Neem voor dopen en gieten altijd lauwwarm, onthard water. De bladeren kunnen geelbont verkleuren of omkrullen als er te veel zouten in het gietwater zitten. Geef ze daarom ook maar liever geen plantenvoedsel. De planten worden na de bloei toch meestal weggegooid, omdat het vrijwel nooit lukt om het volgende jaar weer een mooie bloeiende plant te kweken uit een exemplaar dat al gebloeid heeft.

Vermeerdering. *Senecio cruentus* wordt vermeerderd uit zaad, dat u in juli/augustus kunt zaaien. Probeer de plantjes zo koel mogelijk op te kweken. Na opkomst zet u ze in de koude bak. Overwinter bij minimaal 5 °C. De plantjes worden opgepot in standaardpotgrond. In het voorjaar zullen ze gaan bloeien.

Stephanotis floribunda

Stephanotis (Bruidsbloem)

Een van Madagascar afkomstige klimmer, die daar in bergbossen van koelere streken prachtig groeit en bloeit. Hij werd al in de achttiende eeuw in Europa ingevoerd en is sinds die tijd geliefd als kamerplant, terwijl zijn goed houdbare bloemen graag in bruidsboeketten verwerkt worden; vandaar de Nederlandse naam.

Verzorging. Laten we ervan uitgaan dat u in het voorjaar een bloeiende plant in huis krijgt. Zet uw bruidsbloem dan op een lichte plaats, waar tegen de felste zonnestralen geschermd kan worden. Als u een kasje heeft kunt u hem daar beter inzetten. Zowel in een gematigde als in een warme kas zal de *Stephanotis* het uitstekend doen. Een raam op het oosten is in huis een ideale plaats. Soms laat de *Stephanotis* in 't begin wat knoppen vallen. Dat komt meestal door gewijzigde lichtinval. Laat dus steeds dezelfde kant van de plant naar het venster wijzen. Tijdens de groei zorgen dat de wortelkluit niet uitdroogt. Gebruik onthard, lauwwarm water. Matig hoge luchtvochtigheid aanhouden en regelmatig besproeien. Eventueel iedere veertien dagen licht bemesten. Als u ieder jaar verpot is dit niet nodig.

Tegen de winter geleidelijk minder gieten en de *Stephanotis* naar een koele overwinteringsplaats brengen, bij 12-14 °C. Heel weinig gieten om rottende wortels te voorkomen, maar oppassen voor uitdroging. Insektenproblemen zijn meestal te wijten aan te hoge overwinteringstemperaturen. In het voorjaar verpotten in een mengsel van bladaarde, kleigraszodengrond, oude koemest en wat scherp zand, of gewoon in standaardpotgrond. Zorg voor steunsel waarlangs de ranken kunnen groeien.

Vermeerdering. Via zaad, oogstek of enigszins verhout scheutstek. Stek onder glas bij 20-25 °C en gebruik wat groeistof om de beworteling te versnellen.

Achteraan twee *Streptocarpus*-hybriden, op de voorgrond *S. saxorum*.

Streptocarpus (Kaapse primula, draaivrucht)

Er bestaan bijna honderd soorten *Streptocarpus*, die inheems zijn in Madagascar en Zuid-Afrika. Ze groeien daar in een bosrijke omgeving. Net als bij *Primula obconica* kan door contact met de *Streptocarpus* huiduitslag optreden.
Verzorging. *Streptocarpus* staat graag op een lichte plaats, maar verdraagt geen zonbestraling. Onder invloed van de lange dag bloeit hij in de zomermaanden. Tijdens groei en bloei de wortelkluit steeds vochtig houden en voor een matig hoge luchtvochtigheid zorgen. Gebruik onthard water om te gieten. Tijdens de bloei regelmatig de uitgebloeide bloemen verwijderen en af en toe een niet meer helemaal mooi blad. Nieuwe bladeren ontwikkelen zich snel weer. U kunt de bloeiperiode in de herfst verlengen door kunstmatig de daglengte te vergroten.
's Winters lassen we een rustperiode bij 12 °C in. U geeft weinig water en geen plantenvoedsel meer. Een koele slaapkamer is een geschikte overwinteringsplaats.
In het voorjaar verpotten in standaardpotgrond of in een mengsel van bladaarde, oude koemest, turfmolm en scherp zand. Een goede drainage is belangrijk. Het gebruik van plastic potten verdient de voorkeur. Tijdens de groei geeft u eens in de veertien dagen voeding van normale concentratie. Begin hier pas anderhalve maand na het verpotten mee.
Vermeerdering. Als u verpot kunt u meteen mooi de planten delen. Bedenk dat tweejarige planten het mooist zijn. Vermeerderen uit bladstek gaat als volgt: snijd een blad langs de middennerf in tweeën en zet de twee delen met de aangesneden kant in een mengsel van zand en turf. Onder glas bij 18 à 20 °C zal zich een hele reeks plantjes langs de snede vormen. De zaden kunt u bij 18 °C laten kiemen.

Bladplanten

Bij bladplanten overtreft de sierwaarde van het blad die van de bloemen. Het loof kan op verschillende manieren opvallen: door vorm, kleur of geur. Dat laatste is het geval bij de reukgeraniums, waarvan het blad een heerlijke rozen- of citroenlucht kan verspreiden. In moderne gebouwen kan de strakke architectuur geaccentueerd worden door regelmatig gevormde, scherp omlijste planten als sommige *Dracaena*-soorten en de *Yucca*, terwijl dezelfde lijnen juist verzacht worden als we er een papyrus, treurvijg, *Philodendron* of *Monstera* neerzetten. Wat kleinere planten met sierlijk blad zijn *Polyscias* en *Dizygotheca*, de fijnbladige vingerplant.

De kleurigste bladeren zijn van *Coleus, Codiaeum* en *Iresine*, waarbij het blad knallend oranje, rood en geelgroen gekleurd kan zijn. Dan is er een serie groen gecombineerd met allerlei kleuren, zoals groen met rood, wit of geel en soms zelfs groen, geel en rood in één blad, zoals het geval is bij *Cordyline terminalis* 'Tricolor'. Deze bonte vormen moeten meestal warmer staan dan de groenbladigen. Omdat op de rode, gele of witte plaatsen van het blad minder of geen chlorofyl zit, kunnen deze bladeren minder goed assimileren dan volledig groene bladeren. Als u ze een lichte plaats geeft komen ze toch nog voldoende aan hun trekken. Planten met diepgroen blad verdragen veel schaduw, maar fleuren jammer genoeg de donkere plekjes lang niet zo goed op als de lichtbonte bladplanten.

Veel bladplanten komen oorspronkelijk uit tropische regionen, waar ze in vochtige regenwouden groeiden. Deze tropenplanten hoeft u niet te verplaatsen naar een rustplek, nee, ze mogen het hele jaar door in de kamer blijven staan. Dat is een groot voordeel bij een aantal klimplanten, die u nu als levend behang kunt gebruiken. Want stel eens dat je een metershoge en wijde klimop, *Cissus* of *Ficus pumila*, weer van de schoon-metselwerk-muur af moet halen om hem zijn jaarlijkse koele periode te gunnen! Ook planten die tot de aronskelkfamilie behoren, *Aglaonema, Syngonium* en vele andere, kunnen het hele jaar door in de kamer blijven. Toch moet u wél goed op de luchtvochtigheid letten. Planten met leerachtig blad verdragen een lagere luchtvochtigheid dan een *Maranta* of een *Polyscias*. Te droge lucht in het winterseizoen is vaak de oorzaak van allerlei aantastingen. Voor het besproeien kunt u het best onthard of regenwater gebruiken. Kalkhoudend water geeft vlekken op het blad. Het is ook belangrijk dat de bladeren regelmatig van stof en vuil ontdaan worden zodat ze volop kunnen ademhalen en assimileren en geen last hebben van verstopte poriën.

Veel van de hangende en kruipende plantjes komen ook uit de tropen. De kleinere soorten worden veel als bodembedekkers gebruikt, zowel in gemengde plantenbakken als rond solitairplanten. Hangplanten die lange stengels maken kunnen dienst doen als levende scheidingswand, terwijl ze ook uitstekend geschikt zijn om hoogteverschillen te overbruggen. Het gebeurt nogal eens dat wat 'oncourant' geplaatste planten overgeslagen worden bij het water geven. Daarom gebruiken we niet te kleine potten zodat er wat reservevocht in de aarde blijft.

Een aantal bladplanten groeit snel en wordt behoorlijk hoog, waardoor we ze als kamerboom kunnen gebruiken. Een hele bekende is de *Ficus benjamina* of treurvijg. Door hun snelle groei verbruiken ze veel voedsel en vooral in het beginstadium is het daarom nuttig om ze meerdere malen per jaar te verpotten. Als ze groot zijn en het verpotten een hele klus is, kunt u om de paar jaar verpotten en de andere jaren alleen de bovenste laag aarde verversen. Tijdens de groei, net als bij de meeste andere bladplanten, iedere twee weken bijmesten. Kleinere planten kunnen we voedsel geven door de mest aan het doopwater toe te voegen. Als we mesten moet de aarde namelijk altijd goed vochtig zijn.

Een laatste categorie bladplanten, die een wat andere behandeling vragen dan tot nu toe besproken is, zijn de kuipplanten, zoals *Yucca* en *Pittosporum*. In de zomer vertoeven ze bij voorkeur op terras of balkon, terwijl u ze natuurlijk ook in de tuin kunt zetten. Het is absoluut noodzakelijk om ze koel te overwinteren, liefst in een koude kas. Plant ze in plastic containers of kuipjes, met een voedselrijk grondmengsel gevuld.

V.l.n.r. *Aglaonema brevispathum*, A. *treubii* 'Silver King' en A. *treubii*.

Aglaonema

In de donkere, tropische wouden van Oost-Azië, vooral in landen als Indonesië, Malakka, Thailand, de Philippijnen en Sri Lanka, vinden we de *Aglaonema* in zijn natuurlijke omgeving. Wij kweken hem meestal om zijn mooie, bonte blad. Sommige soorten geven echter nog een aardig extra: fel gekleurde vruchten.
Verzorging. Geef de bonte soorten een lichte standplaats, maar bescherm ze tegen directe zonbestraling. Te veel licht gaat vaak gepaard met spint. De groenbladige soorten verdragen meer schaduw. Hoewel warme kas en bloemenvenster als standplaats de voorkeur verdienen, kunnen *Aglaonema*'s ook met succes uw woonkamer sieren, als u zorgt voor een ruime watergift tijdens de groei. 's Winters matig gieten. Altijd lauwwarm, onthard water gebruiken, ook voor het nevelen. Er zijn soorten die bij sproeien op het blad last krijgen van vlekken. Dan alleen indirect nevelen en de luchtvochtigheid op peil houden door gebruik van een verdamper. Van april tot augustus om de twee weken bijmesten met een kalkvrije voedingsoplossing van normale concentratie. De minimum-wintertemperatuur ligt bij 15-18 °C. *Aglaonema costatum* en A. *pictum* hebben iets meer warmte nodig dan andere soorten.
Om de twee à drie jaar verpotten we in het vroege voorjaar. Omdat deze planten meer oppervlakkig dan diep wortelen, liefst brede en ondiepe schalen gebruiken. De oude aarde voorzichtig van de vlezige wortels verwijderen. Een goed doorlatend, humeus mengsel kunt u maken van standaardpotgrond, sfagnum, turfmolm en scherp zand.
Vermeerdering. Soorten als A. *crispum* en A. *commutatum* kunnen gezaaid worden bij 25 °C. Liever vermeerderen we uit stek – de toppen van oudere scheuten – onder glas bij 20-25 °C. Het makkelijkst is natuurlijk bewortelde uitlopers oppotten.

V.l.n.r. achter *Asparagus densiflorus* 'Meyeri', *A. falcatus*, *A. densiflorus* 'Myriocladus'. Voor: *A. densiflorus* 'Sprengeri', *A. setaceus* en *A. asparagoides*.

Asparagus (Aspergegroen)

Het geslacht *Asparagus* heeft voor ons mensen veel geneugten in petto. Niet alleen die heerlijke groente behoort ertoe, maar ook een groot aantal sierlijke, oersterke en het hele jaar door mooie kamerplanten. Van de 300 bekende soorten komt het grootste deel uit Oost-, West- en Zuid-Afrika. Meestal bloeien ze in de vroege zomer en sommige soorten brengen ook nog eens aardige besjes voort.
Verzorging. Een halfbeschaduwd plekje is ideaal, maar *Asparagus densiflorus* 'Sprengeri' verdraagt bij voorbeeld veel schaduw. Frisse en matig vochtige lucht worden erg gewaardeerd. *A. setaceus* moet vaak besproeid worden. Tijdens de groei rijkelijk met onthard water gieten, want al die fijne blaadjes kunnen bij elkaar heel wat verdampen. Iedere week een normaal geconcentreerde voedingsoplossing toedienen. *Asparagus* heeft dikke, vlezige wortels, waarin water opgeslagen kan worden, dat weer verbruikt wordt als hij te weinig water krijgt. De watergift een keertje vergeten is dus geen ramp. In de winter kunnen we een rustperiode bij 8-10 °C inlassen, maar broodnodig is dit niet. Regelmatig besproeien voorkomt bladval.
Asparagus setaceus op 12-15 °C houden. Vooral *A. densiflorus* kan goed tegen overwintering in de woonkamer. Matig gieten en eens in de twee weken wat extra voedsel toedienen, de helft van de concentratie die u in de zomer gaf. Verpotten in standaardpotgrond of in een mengsel van gelijke delen bladaarde, klei en oude koemest. *Bij A. setaceus* wat extra bladaarde en turfmolm gebruiken, bij *A. densiflorus* wat extra klei. Voor een goede drainage potscherven onder in de pot.
Vermeerdering. In het vroege voorjaar scheuren we grote exemplaren en potten de delen op. Vermeerdering uit zaad is ook mogelijk. Zaai bij 16 °C.

V.l.n.r. achteraan *Begonia rex*-hybriden, voor *B. rex*-hybriden, *B. boweri* en *B. masoniana* 'Iron Cross'.

Begonia (Begonia)

Begonia's die om hun bloemen gekweekt worden vindt u op blz. 24 en 25. Dit omvangrijke geslacht kent echter ook een groot aantal soorten die prachtige bladeren bezitten. De verzorging wijkt op een paar punten iets af van de bloembegonia's.
Verzorging. Bladbegonia's verlangen meer warmte dan bloembegonia's. Overdag is kamertemperatuur prima, de minimum-nachttemperatuur in de zomer ligt tussen 16 en 20 °C. Naast warmte appreciëren ze een vochtige atmosfeer en tijdens de groei een ruime watergift. Gebruik altijd onthard, lauwwarm water. *Begonia*'s zijn kalkhaters. Een hoge luchtvochtigheid verwezenlijkt u het best door de aanschaf van een verdamper. Waterdruppels op het blad bevorderen een aantasting door meeldauw.
In de winter geven we de bladbegonia een rustperiode bij 15-18 °C. Een vrij hoge temperatuur nog, maar u geeft nu minder water dan 's zomers en geen voedsel. Ook de luchtvochtigheid liefst tussen 50 en 60% houden. In deze periode zijn de bladbegonia's wat minder mooi, omdat ze geen nieuw blad vormen en wat oudere bladeren laten vallen. In het voorjaar verpotten in verpakte potgrond, vermengd met een zelfde hoeveelheid turf en wat scherp zand, eventueel nog met een kleine hoeveelheid oude koemest. Als we dan ook weer wat meer vocht toedienen, zal de bladbegonia spoedig weer prachtig uitlopen. Als u jaarlijks verpot en wat oude koemest door het mengsel doet is bijmesten eigenlijk overbodig.
Vermeerdering. De meeste bladbegonia's kunt u kweken uit stukjes blad, die op vochtige aarde met wat extra bodemwarmte makkelijk bewortelen. U kunt ook een blad nemen en met een scherp mes snijwonden op de nerven aan de onderzijde van het blad maken.

V.l.n.r. *Calathea makoyana, C. crocata, C. lindeniana* en *C. lancifolia.*

Calathea

Het grootste deel van de 150 bekende soorten stamt uit tropisch Amerika, maar op de eilanden tussen Indonesië en Australië en in Afrika horen ook enkele soorten thuis. Ze groeien het liefst in vochtige, warme oerwouden. Een van de sterkste soorten voor kamercultuur is *Calathea makoyana. C. crocata* verdient een aparte vermelding omdat hij naast mooi blad prachtige bloemen bezit.

Verzorging. *Calathea*'s verdragen vrij veel schaduw, maar u kunt ze ook op een licht plekje neerzetten, zolang ze maar niet door felle zonnestralen beschenen worden. Het is erg belangrijk dat u regelmatig water geeft, zodat de potkluit nooit uitdroogt. Gebruik hiervoor lauwwarm en onthard water. Ook een hoge luchtvochtigheid vinden *Calathea*'s heel plezierig. Vooral tijdens het uitlopen van nieuwe bladeren is het goed om de planten minstens tweemaal per dag te besproeien. Tijdens de groeiperiode iedere veertien dagen bijvoeden met een kalkarm voedingsmiddel in normale concentratie.

Bij het overwinteren houden we een minimum-wintertemperatuur van 13-16 °C aan. We geven minder water, maar houden de luchtvochtigheid zo hoog mogelijk. Vandaar dat overwinteren in de kas de voorkeur heeft. Verwijder het stof van de bladeren met een vochtige doek. Ieder jaar in het voorjaar verpotten in een luchtige, licht zure grond, bij voorbeeld standaardpotgrond met wat extra bladaarde of turfmolm. *Calathea*'s wortelen oppervlakkig; neem dus meer brede dan diepe potten.

Vermeerdering. Delen is de makkelijkste methode. Houd het wortelstelsel liefst onder water terwijl u de planten deelt en zorg ervoor dat ieder deel een stel gezonde bladeren en wortels heeft. Hergroei bij 18 °C. Kopstek nemen kan ook.

V.l.n.r. *Chlorophytum comosum* 'Variegatum', *C. comosum* en *C. capense* 'Variegatum'.

Chlorophytum (Graslelie)

Dit is wel een der bekendste kamerplanten: ijzersterk en door de veelheid aan uitloperplantjes altijd weer een leuk gezicht. De 200 soorten zijn wijd verbreid in de tropen. *Chlorophytum comosum* komt oorspronkelijk uit Zuid-Afrika.
Verzorging. Hoewel de graslelie zowel zon als schaduw verdraagt is de beste plek licht, maar uit de felle zon. De bonte soorten hebben, om een mooie bladtekening te waarborgen, iets meer licht nodig dan groenbladigen. Tijdens de groei, afhankelijk van de temperatuur, matig tot veel gieten. Van maart tot september kunt u eenmaal in de twee weken wat plantenvoedsel aan het gietwater toevoegen; concentratie zoals aangegeven op de verpakking. Vooral wanneer de *Chlorophytum* in een kamer staat waar de lucht erg droog is, willen nog wel eens bruine bladpunten ontstaan, die de plant jammerlijk ontsieren. Houd dus een matige luchtvochtigheid aan en besproei uw graslelie af en toe. Bruine bladpunten kunnen trouwens ook het gevolg zijn van een uitgedroogde potkluit of een te hoog geconcentreerde mestgift.
's Winters kunt u een rustperiode inlassen – minimum van 7 °C aanhouden – maar nodig is dit niet. In het voorjaar verpotten in een mengsel van standaardpotgrond met wat extra leem. Bij het verpotten kunt u goed zien dat de wortels dik en sappig zijn; ze houden veel vocht vast. Als u te laat bent met verpotten hoort u een bescheiden knal: de wortels zijn uit hun pot gebarsten.
Vermeerdering. De minst gevolgde methode is vermeerdering uit zaad. Het is echter veel makkelijker de tot jonge plantjes uitgegroeide bloempjes op te potten. Ze bewortelen heel makkelijk in bovenvermeld grondmengsel. Als u in april/mei toch aan het potten bent kunt u oudere exemplaren ook heel goed scheuren.

V.l.n.r. *Cissus rhombifolia, C. rhombifolia* 'Ellen Danica', *C. discolor* en *C. antarctica.*

Cissus

De naam *Cissus* komt van het Griekse *kissos*, wat klimop betekent. Over de hele wereld, in de tropen en soms in de subtropen, kunnen we deze klimmers, waarvan wel 350 soorten bestaan, terugvinden. Naast klimplanten kent dit geslacht ook enkele succulenten met dikke, tot 4 meter hoge stammen.

Verzorging. Op de foto staan deze *Cissus*-soorten wel broederlijk naast elkaar, maar ze stellen heel verschillende eisen aan de verzorging. *C. discolor* is een warme-kasplant, die bij goede verzorging heel welig uit kan groeien. Houdt van licht, maar tegen felle zon moet u schermen. Tijdens de groei kan hij heel wat water gebruiken. In een groot bloemenvenster is dit een prachtige aanwinst. Overwinteren bij 15 °C.

Cissus rhombifolia is misschien wel de sterkste soort. Groeit ook nog goed op zwaar beschaduwde plaatsen. *C. antarctica* verlangt wat meer licht. Beide soorten staan niet graag in de volle zon. Giet ze in de zomer matig en 's winters – afhankelijk van de temperatuur – nog iets minder. Overwinteren bij 8 °C. Blijft *C. antarctica* 's winters bij u in de kamer, dan besproeien om spint en krullend blad te voorkomen. Voor *Cissus rhombifolia* geldt hetzelfde, alleen verdraagt hij een warme overwintering vaak iets beter. Een te hoge watergift in de winter kan allerlei nare gevolgen als meeldauw en bruine vlekken veroorzaken.

In de lente verpotten in een doorlatende, kalkhoudende grond, te maken van bladaarde, lemige graszodengrond en wat oude koemest en zand.

Vermeerdering. Neem uitgerijpte topstekken, bij voorbeeld in augustus, en snijd de helft van het bladoppervlak weg om de verdamping te beperken. Bij een bodemtemperatuur van 25 à 30 °C zullen de stekken snel bewortelen in turf en zand.

Codiaeum variegatum var. *pictum*, diverse rassen.

Codiaeum (Croton)

In Zuidoost-Azië, vooral op de eilanden van Indonesië en Polynesië, kunnen deze prachtig gekleurde bladplanten wel 3 meter hoog worden. Oorspronkelijk was het alleen mogelijk om plezier van crotons te hebben als u in het trotse bezit van een kasje was. Door kruisen en selecteren zijn er nu ook vormen die we in de kamer enige tijd met succes goed kunnen houden.

Verzorging. Op een lichte, maar niet zonnige standplaats kunnen de bladeren het mooist kleuren. Pas op voor tocht en houd het microklimaatje rond de plant zo constant mogelijk. De minimum-zomernachttemperatuur is 16-20 °C. Ook in de winter mag de temperatuur niet onder 16 °C zakken.

Om te gieten gebruiken we altijd lauwwarm water. Vooral tijdens de groeiperiode verdampen de bladeren nogal wat water en moet u dus ruim gieten. Overtollig water niet langer dan een half uur op de schotel laten staan. De wortelkluit mag niet uitdrogen, maar àl te lang natte voeten veroorzaakt wortelrot. Een luchtvochtigheid van 60% of meer is aan te bevelen. Te droge lucht en spint gaan vaak samen, terwijl bladval en thrips ook dikwijls aan een te lage luchtvochtigheid te wijten zijn. De aanschaf van een verdamper biedt hier uitkomst. Het blad regelmatig afsponzen met lauw water om stof en vuil te verwijderen. Vanaf het moment dat de plant goed uitloopt tot augustus eens in de twee weken bijvoeden met een normaal geconcentreerde meststof. We verpotten als de wortels de hele pot doorgroeid hebben in een mengsel van bladaarde, lemige graszodengrond en oude koemest.

Vermeerdering. Via zaad, marcotteren en stek van rijpe scheuten, die bij 25 tot 30 °C onder glas moeten bewortelen. Stop eerst het bloeden met houtskoolpoeder.

Coleus blumei-hybriden, diverse rassen.

Coleus (Siernetel)

In tropisch Azië en Afrika groeien wel 200 soorten siernetels. Bij ons in de huiskamers vinden we meestal de *Coleus blumei*-hybriden met hun schitterende bladkleuren. Op de foto kunt u zien dat ze ook aardige bloeiaartjes produceren, maar zo ver als op deze afbeelding kunt u het beter niet laten komen, want dat gaat ten koste van het mooie blad.

Verzorging. Op een lichte en zonnige plaats zullen de bladkleuren van uw siernetel zich optimaal ontwikkelen. Staat hij te donker dan zijn de bladeren flets en groenig van kleur. In de zomer mag de *Coleus* op een beschut plekje op het balkon of in de tuin staan. Maar misschien houdt u hem graag binnen omdat er niet veel planten zijn die ongeschermd in de felle zomerzon kunnen staan. U zult dan wel vaak moeten gieten omdat siernetels bij hoge temperaturen en veel zon een behoorlijke hoeveelheid water kunnen verdampen. Bij watergebrek hangen de scheuten al gauw slap. Gebruik onthard en liefst lauw water. Eenmaal in de week dopen is prima.

Probeer de luchtvochtigheid zo hoog mogelijk te houden. Besproei de planten regelmatig. In de winter giet u matig, maar zorg ervoor dat de potkluit niet uitdroogt. Tijdens de groei iedere week bijmesten met een kalkarm, normaal geconcentreerd voedingsmiddel. In het najaar, als de planten minder mooi worden en door de lagere luchtvochtigheid vaak hun blad verliezen, zet u de siernetel op een koele en lichte plaats, waar hij overwintert.

Vermeerdering. In de lente snijdt u scheut- of oogstek, dat heel makkelijk op water of in een grondmengsel bewortelt. Toppen om een bossige groei te krijgen. Omdat oudere planten minder mooi zijn kunt u het best meerdere keren per jaar stekken.

V.l.n.r. *Cordyline terminalis* 'Tricolor', *C. rubra, C. terminalis, C. terminalis* 'Tricolor' en *C. terminalis* 'Firebrand'.

Cordyline

Deze naam komt van het Griekse *kordyle*, wat knots betekent. Aan de wortels zitten knotsvormige knollen. Als we de wortels doorsnijden zien we de witte binnenkant. Bij de *Dracaena*, die sterk op de *Cordyline* lijkt, kleuren doorgesneden wortels roodachtig geel. In het gebied van Zuidoost-Azië tot Nieuw-Zeeland groeien zo'n 20 soorten in het wild. De Maori's eten *Cordyline*-wortels.
Verzorging. *Cordyline terminalis*-rassen houden van warmte en een hoge luchtvochtigheid. De meest ideale plaats is een kas of bloemenvenster, maar als u vaak sproeit en een elektrische verdamper heeft, zullen ze het ook in de kamer goed doen. Zorg voor voldoende licht, vooral bij bonte soorten, maar scherm tegen volle zon. Houd de wortelkluit vochtig met lauwwarm water, waaraan u iedere veertien dagen normaal geconcentreerd voedsel toevoegt. Bruine bladpunten en bladval is meestal te wijten aan watergebrek en een te lage luchtvochtigheid.
De meeste soorten, zoals *C. australis, C. rubra* en *C. stricta* staan graag op een lichte, zonnige en koele plek. 's Winters houdt u een minimumtemperatuur van 4 °C aan, bij *C. terminalis* is dat 12 °C. In de zomer kunt u de koelteminnaars natuurlijk buiten zetten. Veel gieten en eenmaal per maand voeden. Een matige relatieve vochtigheid is voldoende. 's Winters de aarde net vochtig houden en niet mesten.
Vermeerdering. Minder mooi geworden planten kunt u marcotteren. Als stek kunt u de koppen of delen van de stam met drie ogen gebruiken. Onder glas bij 25-30 °C laten bewortelen. *C. terminalis* heeft wel 30-35 °C nodig. Het is ook mogelijk uitlopers af te snijden en op te potten. Neem standaardpotgrond. Voor *C. australis* mengt u er extra leem door. Naaldenbosgrond is prima voor *C. terminalis*.

V.l.n.r. *Ctenanthe rubra*, *C. lubbersiana* en *C. oppenheimiana* 'Variegata'.

Ctenanthe

In de tropische regenwouden van Zuid-Amerika kunt u 20 soorten in het wild vinden. Als u besluit ze te gaan zoeken: begin in Brazilië, daar groeien de meeste.
Verzorging. Als we naar de herkomst van *Ctenanthe* kijken dan zal het duidelijk zijn dat deze planten het liefst in een warme kas of bloemenvenster groeien. Ook op een warm plekje in een kamer waar de luchtvochtigheid matig tot hoog is zal *Ctenanthe* u veel plezier geven. Vaak sproeien! Geef regelmatig lauwwarm en onthard water, zodat de potkluit nooit uitdroogt. Ook het nevelen liefst met lauw, kalkarm water. Een te lage luchtvochtigheid heeft vaak bruin kleurend en omkrullend blad tot gevolg. Iedere twee weken voegt u aan het gietwater een kalkarm voedingsmiddel toe; concentratie zoals aangegeven op de verpakking. Om de bladtekening mooi te houden verlangt *Ctenanthe* veel licht, maar directe zonbestraling moet u vermijden. 's Winters een dagtemperatuur van 18-20 °C aanhouden. 's Nachts minimaal 16 °C. In die periode minder gieten, de wortelkluit moet net vochtig blijven, en niet voeden.
Iedere twee à drie jaar verpotten we in de lente in een mengsel van turf, bladaarde en oude koemest, eventueel met een beetje scherp zand. Omdat deze planten een breed wortelstelsel maken, gebruiken we bij voorkeur wijde, platte schalen. Een goede drainage is belangrijk.
Vermeerdering. *Ctenanthe* vormt uitlopers, die u na verloop van tijd voorzichtig van de moederplant af kunt snijden en apart oppotten. Het is verstandig deze nieuwe plantjes in het begin onder glas te houden, zodat de verdamping tot een minimum beperkt blijft.

V.l.n.r. *Cyperus papyrus*, *C. diffusus*, *C. haspan* en *C. alternifolius*.

Cyperus (Parapluplant, cypergras)

Decoratief siergrassengeslacht, waartoe meer dan 600 soorten behoren, die voorkomen in gematigde, subtropische en tropische streken. *C. papyrus* is de bekende papyrus van de Egyptenaren. Omdat hij wel drie meter hoog kan worden kweken we vaak *C. haspan*, die er veel op lijkt, maar stukken kleiner blijft.

Verzorging. *Cyperus* verlangt veel licht, maar bescherm hem tegen de felle middagzon. Alle parapluplanten houden van vochtige grond. Alleen *C. alternifolius* en *C. papyrus* willen natte voeten hebben. Zorg wel dat de stengels boven het water uitsteken. Gieten met lauwwarm water, want aan koude potgrond hebben deze planten een hekel. Van april tot augustus geven we deze snelle groeiers wekelijks een dosis voedsel van normale concentratie. Een beetje koemest of compost op zijn tijd wordt zeer gewaardeerd. In de winter geven we een rustperiode van minimaal 12 °C voor *C. alternifolius*, *C. argenteostriatus* en *C. haspan*. De andere soorten liever 5 °C meer. *C. papyrus* heeft in deze periode vaak last van lichtgebrek.

In de lente verpotten in een mengsel van gelijke delen klei en bladaarde met een toevoeging van oude koemest en iets scherp zand. Standaardpotgrond met extra klei voldoet ook. Gebruik liefst plastic potten, dan blijft de wortelkluit vochtiger. Bonte of witte soorten moet u niet zo'n rijk grondmengsel geven, want het resultaat is dat ze dan weer helemaal groen worden. Nee, de bonte paraplu's zet u in arme grond en geeft u ook wat minder water.

Vermeerdering. Oudere planten kunnen we delen. Stekken gaat vaak heel makkelijk. Neem volgroeide parapluutjes met een 5-10 cm lange bladsteel en verwijder de helft van de blaadjes. Zet ze omgekeerd in water en na een paar weken ontstaan wortels.

V.l.n.r. *Dieffenbachia amoena* 'Tropic Snow', *D. maculata*, *D. seguine* 'Liturata' en *D. bowmannii* 'Marianne'.

Dieffenbachia

Er bestaan zo'n 30 soorten *Dieffenbachia*, die oorspronkelijk uit Midden- en Zuid-Amerika komen. Daarnaast zijn er vele schitterende kweekvormen. De planten zijn in alle delen giftig, zodat u ze uit de buurt van kinderen moet houden.
Verzorging. In hun thuisland groeien *Dieffenbachia*'s in de schaduw van andere planten. In huis zetten we ze op een halfbeschaduwde plaats, ook weer niet té donker want dan komt de prachtige bladtekening niet volledig tot ontwikkeling. Tijdens de groei houdt u de wortelkluit vochtig met lauwwarm en onthard water. Bruine randen langs het blad verschijnen als gevolg van een uitgedroogde potkluit. De luchtvochtigheid moet hoog zijn, vooral voor de soorten met dun blad. De *Dieffenbachia*'s die dik en leerachtig blad hebben verdragen de droge kamerlucht beter. Vaak nevelen of sproeien en regelmatig de bladeren afnemen met lauwwarm water. Van maart tot augustus iedere twee weken bijvoeden met kalkarme, normaal geconcentreerde mest. Vanaf september tot februari is er niet voldoende licht voor de ontwikkeling van nieuw blad. Een echte rustperiode geven is niet nodig, maar giet wel iets minder en geef geen mest. De minimumtemperatuur is 15-18 °C.
In het voorjaar zetten we de *Dieffenbachia* over in een grotere pot en als grondmengsel gebruiken we drie delen bladaarde, een deel klei en een deel oude koemest. Eventueel kunt u er nog wat extra turf en houtskool aan toevoegen.
Vermeerdering. Als oudere planten van onderen kaal worden kunt u ze tot op 15 cm van de grond terugsnijden. De stompjes zullen weer uitlopen en van de afgesneden stammetjes maakt u stek (van ca. 8 cm). Van de bebladerde toppen snijdt u kopstek. Onder glas bij 24-26 °C laten bewortelen. Marcotteren kan ook.

V.l.n.r. *Dizygotheca elegantissima*, *D. veitchii* 'Castor' en *D. veitchii*.

Dizygotheca (Fijnbladige vingerplant)

Hele sierlijke heestertjes of boompjes, inheems in Australië en op enkele eilanden in de Pacific. Het zijn aparte en gelukkig ook sterke kamerplanten, die tot de aralia-familie horen.
Verzorging. Zet deze vingerplanten op een lichte plaats, maar niet in het volle zonlicht, behalve 's ochtends en 's avonds. Heel belangrijk is een hoge luchtvochtigheid. Vaak nevelen en een verdamper gebruiken. Is de lucht te droog dan vallen de onderste bladeren vaak af en ook wordt de plant gemakkelijker door spint en schildluis aangetast. Houd de wortelkluit matig vochtig met onthard en lauwwarm water. Van april tot augustus dient u een kalkarme voedingsoplossing toe, die normaal geconcentreerd mag zijn.
In de wintertijd kan de *Dizygotheca* in de kamer blijven staan, maar hij zal het wel wat moeilijk hebben met de droge lucht. Geef iets minder water, maar zorg dat de wortelkluit nooit uitdroogt. De temperatuur niet beneden 18 °C laten zakken.
Veel sproeien, vooral op het jonge blad. Is het voorjaar aangebroken, dan gaan we verpotten. Jonge exemplaren ieder jaar verse grond geven, oudere planten eens in de twee à drie jaar in iets grotere potten zetten. Als grondmengsel kunt u heel goed standaardpotgrond gebruiken. Ook naaldenbosgrond is prima. De eerste twee maanden na het verpotten hoeft u geen voedsel toe te dienen. Uitgegroeide en kale planten lopen weer uit als u ze op 10 cm terugsnijdt.
Vermeerdering. Als u vers en kiemkrachtig zaad kunt krijgen is zaaien een goede manier om aan jonge *Dizygotheca*'s te komen. Zaai onder glas, bodemtemperatuur 21-23 °C. Enten is mogelijk op onderstam *Meryta denhamii*. Stekken lukt zelden.

V.l.n.r. *Dracaena fragrans* 'Massangeana', *D. deremensis* 'Warneckii', *D. fragrans* 'Victoria' en vooraan *D. godseffiana*.

Dracaena (Drakebloedboom)

Dracaena's zijn ideale kamerplanten: sterk, mooi en sierlijk, makkelijk te verzorgen. Het geslacht telt 40 soorten, inheems op de Canarische Eilanden – waar een hele oude *Dracaena draco* een toeristische attractie vormt –, in tropisch en subtropisch Afrika en Azië en op de eilandengordel die zich uitstrekt van Azië tot Australië.
Verzorging. Zet uw drakebloedboom op een lichte plaats, bij voorbeeld op drie meter afstand van een oost- of westvenster. Staat hij op een vensterbank bij een raam op het zuiden dan moet u tegen de felle middagzon schermen. *Dracaena*'s verdragen vrij zware schaduw, maar vooral bonte soorten verliezen dan de fraaie bladtekening.
Wat de watergift betreft zijn deze planten iets veeleisender. De wortelkluit mag niet uitdrogen maar ook weer niet te nat zijn. In ieder geval een goede drainagelaag van potscherven in de pot doen. Blijft er water in de pot staan dan gaan de vlezige wortels namelijk al gauw rotten. Het is ook belangrijk dat u regelmatig water geeft. Zowel onregelmatig als te weinig gieten heeft bruine bladpunten tot gevolg. Tocht en overvoeding kunnen trouwens ook dit verschijnsel veroorzaken.
In de groeiperiode van mei tot september geeft u meer water dan van november tot maart. In oktober watergeven langzaam verminderen, in april langzaam meer gaan geven. Vooral bij de bontbladige typen oppassen voor uitdroging van de potkluit. Het waterreservoir van potten met watergeefsysteem mag een paar dagen leeg staan voor u het weer vult. *Dracaena*'s kunnen vrij goed tegen de droge kamerlucht, maar prefereren een matige luchtvochtigheid. Als u ze in het voorjaar koopt, in de tijd dat de verwarming steeds minder aan is, zult u met de luchtvochtigheid weinig problemen hebben. Krijgt u een *Dracaena* in de winter, dan kan de overgang van vochtige kas naar

V.l.n.r. *Dracaena reflexa* 'Song of India', *D. sanderiana*, *D. marginata* en *D. marginata* 'Tricolor'.

Dracaena (vervolg)

droge kamer wel eens minder soepel verlopen. U kunt daar natuurlijk van alles aan doen: vaak nevelen – met onthard water – en een verdamper gebruiken. Soorten als *D. deremensis*, *D. fragrans* en *D. marginata* houden hun winterrust graag bij 13 °C, maar nemen het ook voor lief als u ze het hele jaar in een ruimte op kamertemperatuur houdt. *D. draco* verlangt een rustperiode bij 7 °C, *D. godseffiana* en *D. sanderiana* iets warmer, bij 10 °C.
In april verpotten in standaardpotgrond of, nog beter, in een mengsel van twee delen bladaarde, een deel oude koemest en een deel turfmolm en wat scherp zand. Jonge planten verpot u ieder jaar, oudere exemplaren eens in de twee à drie jaar. Planten die u niet verpot heeft mest u van april tot augustus bij met een normaal geconcentreerde voedingsoplossing, eens in de twee weken. Verpotte drakebomen gaat u pas in juni bijvoeden. Tijdig ophouden met bijmesten, zodat de planten zich op hun rustperiode kunnen voorbereiden.
Vermeerdering. De groene soorten, vooral *D. draco*, worden veelal gezaaid, onder glas bij 21-26 °C. Stekken gaat vrij makkelijk in een mengsel van gelijke delen turf en zand, bij 21-24 °C. Neem kopstek of stengelstek; een stuk stengel moet minstens 2 à 3 ogen hebben. Bij bonte soorten zullen in het begin alleen groene bladeren tot ontwikkeling komen. Na een paar maanden wordt uw geduld beloond doordat zich de eerste bonte blaadjes vormen. Worden sommige stengels u te lang of te kaal, dan slaat u aan het marcotteren.
De zogenaamde 'T-planten' worden hier als stengelstek uit de Zuidamerikaanse landen geïmporteerd en bewortelen hier bij de kweker of bij u thuis.

V.l.n.r. × *Fatshedera lizei* 'Variegata', × *F. lizei, Fatsia japonica* en *Fatsia japonica* 'Variegata'.

× **Fatshedera / Fatsia** (Vingerplant)

Deze twee geslachten vindt u op één bladzijde, omdat de kweekwijze veel overeenkomsten vertoont en omdat ze beide tot de *Aralia*-achtigen behoren en zeer nauw verwant zijn. *Fatsia japonica* 'Moseri' is namelijk samen met *Hedera helix* 'Hibernica', de klimop, stamhouder van de × *Fatshedera*. Deze kruising vond plaats in Frankrijk in 1912. De vingerplant is uit Oost-Azië afkomstig.
Verzorging. De groenbladige soorten zet u op een koele plaats zonder directe zonbestraling. Ze verdragen erg veel schaduw, in tegenstelling tot de bontbladigen, die meer licht maar ook een wat hogere temperatuur verlangen. In de zomer is een beschut en beschaduwd plekje in de tuin of op het balkon heel geschikt. De groene *Fatsia* kunt u 's winters zelfs buiten laten. Als hun standplaats niet heel beschut is moet wel voor bescherming tegen de vorst gezorgd worden. De groene × *Fatshedera* houdt u 's winters op 10 °C, het bonte type enkele graden warmer.
Matig gieten tijdens de groeiperiode; wel regelmatig, zodat de wortelkluit niet uitdroogt. Eens in de twee weken voegt u aan het gietwater wat normaal geconcentreerde kamerplantenmest toe. Eens per maand de bladeren afsponsen en een matige luchtvochtigheid aanhouden. Minstens eenmaal per jaar verpotten in standaardpotgrond of naaldenbosgrond met koemest voor de × *Fatshedera* en een mengsel van bladaarde, klei of leem, oude koemest en scherp zand voor de *Fatsia*.
Vermeerdering. × *Fatshedera* wil nog wel eens stakerig doorschieten naar het plafond. Ga dit tegen door tijdig te toppen. 10 cm lange stekjes bewortelen op water of in zand en turf onder glas bij 18-20 °C. De bonte nog iets warmer. *Fatsia,* groen en bont, stekken of marcotteren. Zaaien van groene *Fatsia* en × *Fatshedera* lukt ook.

V.l.n.r. *Ficus benjamina*, mistelvijg *F. deltoidea*, *F. australis*, *F. buxifolia* en *F. cyathistipula*.

Ficus (Vijgeboom)

Binnen dit grote geslacht – meer dan 1000 soorten – vinden we enorm veel variatie. De naam *Ficus* is de Romeinse aanduiding voor vijg. De meeste *Ficus*-soorten groeien echter niet in Europa maar in Afrika, Centraal- en Zuid-Amerika, Azië en Australië. Het grootste deel van onze kamerplant-vijgebomen is inheems in Zuidoost-Azië. Er zijn maar weinig soorten die in de kamer tot vruchtzetting komen: *Ficus aspera*, *F. cyathistipula* en *F. deltoidea*. De echte vijgeboom heet *Ficus carica*, hier te lande wel buiten gekweekt, niet geschikt voor kamercultuur. De zeer bekende *F. elastica* kreeg als Nederlandse naam 'rubberplant', omdat hij vroeger voor de latexwinning gebruikt werd. Tegenwoordig gebruikt men daar de Braziliaanse rubberboom, *Hevea brasiliensis*, voor.
In onze interieurs laat de *Ficus* zich op veel manieren toepassen: als solitair, in gemengde bakken, in bloemenvensters en kantoortuinen. Voor hydrocultuur is dit een heel geschikte plant.
Verzorging. Geef de *Ficus* een lichte plaats, uit de felle middagzon. Groenbladige soorten verdragen vrij veel schaduw. Als u eenmaal een plekje voor uw vijgeboom uitgekozen hebt, laat hem daar dan staan. Hij houdt niet van verhuizen, evenmin van tocht. Als het blad te veel naar één kant groeit, draai de plant dan steeds een paar graden, zodat u weer een gelijkmatige groeivorm krijgt. Bontbladige soorten verlangen wat meer licht, net als de groenbladige *F. religiosa*.
De meeste *Ficus*-soorten houden in de winter graag een poosje rust bij 12-15 °C. Veel soorten ondervinden geen nadelige gevolgen van het overwinteren bij kamertemperatuur, maar laten vaak wel wat blad vallen.

V.l.n.r. *Ficus lyrata, F. elastica* 'Doescheri', *F. elastica* 'Schrijveriana' en *F. elastica* 'Decora'.

Ficus (vervolg)

Twee soorten die graag koel – 10 °C – overwinteren zijn *F. macrophylla* en *F. rubiginosa. F. aspera* en *F. dryepondtiana* verlangen 's winters 18 °C. Behalve de variatie in zomer- en wintertemperatuur verdragen *Ficus*-soorten temperatuurschommelingen niet zo goed.
En wat geldt voor de temperatuur geldt ook voor de vochtigheid. Geef regelmatig een zelfde watergift, zodat uw vijgeboom niet van te natte of te droge voeten te lijden heeft. Tijdens de rustperiode geven we maar weinig – lauwwarm – water, als de *Ficus* tenminste een rustperiode krijgt. Tijdens de groei de wortelkluit matig vochtig houden, liefst met onthard en lauwwarm water. Een matig hoge luchtvochtigheid aanhouden, voor *F. lyrata* en *F. pumila* enkele procenten hoger. Omdat de meeste *Ficus*-soorten leerachtig blad hebben, kunnen ze onze droge kamerlucht redelijk verdragen. Maar ze zijn u zeer dankbaar voor regelmatig nevelen. 's Zomers kunt u ze van een mals regenbuitje mee laten profiteren. Eens per maand het blad van stof en vuil ontdoen met water en een sponsje of lapje. Eventueel door het water wat bladglansmiddel mengen.
Als in het voorjaar de nieuwe blaadjes uit gaan lopen begint u de vijgebomen bij te mesten met een voedingsoplossing die normaal geconcentreerd is. Dit doet u iedere twee weken tot half augustus.
Februari of maart is de beste tijd om te verpotten. Eigenlijk zou dat ieder jaar moeten gebeuren, maar omdat het verpotten van hele grote exemplaren een hele klus is verpotten we vaak het ene jaar en verversen we de bovenste laag aarde het daaropvolgende jaar. Let op een goede drainage. Standaardpotgrond is goed te gebruiken.

V.l.n.r. *Ficus pumila, F. radicans* 'Variegata' en *F. triangularis.*

Ficus (vervolg)

Zelf een mengsel maken van kleizodengrond vermengd met wat zand of turf en een derde deel bladaarde is nog beter. *F. deltoidea, F. pumila* en *F. radicans,* alle soorten die zich van nature sterk vertakken, kunt u nu, indien nodig, wat terugsnoeien. Het vertakken zal daardoor nog bevorderd worden.

Vermeerdering. Het minst gebruikelijk is zaaien, omdat het moeilijk is om aan kiemkrachtig zaad te komen. De beste zaaitijd is juni-juli, bodemtemperatuur 25 °C. Marcotteren is een methode die vooral toegepast wordt bij *Ficus elastica* en *F. lyrata.* Mei tot augustus zijn de beste maanden om dit werkje te doen. Van kaal geworden of onvertakte en uitgegroeide exemplaren houdt u op deze manier toch nog een aardige herinnering over.

Stekken gaat over het algemeen vrij makkelijk. Het bloeden van wit melksap tegengaan door de stek in houtskoolpoeder of warm water te steken. Ook de wond van de moerplant afdekken met zand of houtskoolpoeder. Top- en oogstekken bewortelen het makkelijkst als u een bodemwarmte tussen 25 en 35 °C geeft. Neemt u oogstek van *Ficus*-soorten met grote bladeren, rol het blad dan op en doe er een elastiekje om. Op die manier gaat u een té overvloedige verdamping tegen. De stek onder glas in een mengsel van gelijke delen zand en turf zetten en goed nat houden. Na een dikke maand is de beworteling meestal wel een feit.

Als het nieuwe blad zich ontvouwt mag het oude blad verwijderd worden. Hard de jonge plantjes voorzichtig af en verpot ze in een voedzamer mengsel, zoals bladaarde en scherp zand, half om half. De luchtvochtigheid hoog houden en tegen felle zonnestralen schermen. Tweemaal per maand wat plantenvoedsel toedienen.

V.l.n.r. achteraan *Fittonia verschaffeltii* 'Pearcei' en *F. argyroneura*, vooraan *F. argyroneura* 'Minima'.

Fittonia

Prachtige bodembedekkers, afkomstig uit de tropische regenwouden van Peru. In de vorige eeuw werden ze in Europa ingevoerd. Aanvankelijk werden *Fittonia*'s vooral in de warme kassen van grote buitenplaatsen gebruikt om de bodem onder de tabletten mooi te begroeien. Al kunnen ze in een potje op de vensterbank wat minder welig tieren, toch blijven ze een aanschaf zeker waard.
Verzorging. Zoals u uit de plaats van herkomst en de voorgaande regels al afgeleid zult hebben, houden *Fittonia*'s van een hele vochtige omgeving, terwijl ze heel wat schaduw verdragen. U kunt ze ook op een licht plekje neerzetten, zolang ze maar niet door de felle zon beschenen worden. Een bloemenvenster of warme kas is ideaal. Binnenshuis moet u voor een zo hoog mogelijke luchtvochtigheid zorgen. Als u de *Fittonia* niet apart in een potje, maar als bodembedekker tussen andere planten poot, werkt dat ook gunstig op zijn microklimaat. De beste temperatuur is 20 °C. 's Winters een minimum van 16 °C aanhouden voor *F. argyroneura*, voor de andere soorten 13 °C.
Tijdens deze koelere periode gieten we wat minder dan tijdens het groeiseizoen. Altijd lauwwarm, onthard water gebruiken. Om de twee à drie weken een kalkvrije voeding toedienen, de helft van de op de verpakking aangegeven concentratie nemen. In het voorjaar verpotten, liefst in ondiepe en brede schalen omdat *Fittonia*'s zo oppervlakkig wortelen en graag kruipen. Een goed grondmengsel samenstellen uit verpakte potgrond, turf en wat klei. Naaldenbosgrond voldoet ook prima. Wat potscherven onder in de schaal en scherp zand door het mengsel waarborgen een goede drainage.
Vermeerdering. In de lente topstek op warme voet en onder glas laten bewortelen.

V.l.n.r. *Hedera canariensis, H. helix* 'Glacier', *H. canariensis* 'Variegata' en *H. helix* 'Pittsburg'.

Hedera (Klimop)

In Europa, Noord-Afrika en Azië is een zevental soorten inheems. Bij ons is de klimop heel bekend als tuinplant. Vooral als bodembedekker wordt hij veel toegepast. Enkele zwakker groeiende *Hedera*'s zijn zeer geschikt als kamerplant.
Verzorging. *Hedera helix* is eigenlijk een winterharde tuinplant en binnenshuis doet u er dan ook goed aan om hem een koele plaats te geven, bij voorbeeld in een gang of trappenhuis. Vooral 's winters mag de temperatuur niet boven 15 °C komen, omdat aantastingen van spint, thrips en schildluis dan moeilijk te voorkomen zijn. U kunt de *H. helix* dan nog beter op het balkon overwinteren: enkele graden vorst verdraagt hij beter dan kamertemperaturen. Heel anders is dit bij *H. canariensis* 'Variegata', die temperaturen boven 10 °C verlangt. In de winter maximaal 18 °C aanhouden om de kans op ziekten te beperken.
Bonte typen krijgen een lichte plaats zonder directe zonbestraling. De groene soorten verdragen tamelijk veel schaduw. Voor uitdrogen van de potkluit moeten we oppassen, regelmatig gieten is dus het devies. Onthard water is het best. Geeft u in de winter wat minder water, afhankelijk van de overwinteringstemperatuur.
Tijdens de groei eens in de twee weken bijmesten met normaal geconcentreerd plantenvoedsel. In de zomer houden klimopplanten van een mals regenbuitje op hun blad. In de kamer kunt u ze af en toe besproeien. Matig hoge luchtvochtigheid. In de lente verpotten in standaardpotgrond of een mengsel van twee delen bladaarde en een deel oude koemest. Neem plastic potten en zorg voor een goede drainage.
Vermeerdering. Neem 10 cm lange kopstekken en laat ze bewortelen in een mengsel van bladaarde en zand. De beste tijd hiervoor is in nazomer en herfst.

Links *Iresine herbstii*, rechts *Iresine herbstii* 'Aureoreticulata'.

Iresine

Van deze charmant gekleurde bladplantjes bestaan wel 70 soorten, die stammen uit Noord- en Zuid-Amerika, de Antillen, Australië en de Galapagos-eilanden.
Verzorging. Dit is weer een van de weinige planten die volle zon verdraagt, ook in de huiskamer op de vensterbank. Licht en zon zijn voorwaarden voor een optimale bladkleuring. In mooie zomers kunt u de *Iresine* gerust buiten zetten. Tijdens uw vakantie in zonnige, zuidelijke landen bent u ze vast wel eens als perkplant tegengekomen. In ons klimaat mag *Iresine* van eind mei tot eind september naar buiten. In de winter zetten we hem weer in de vensterbank, als het even kan bij een temperatuur van 15 °C, maar een warmere overwintering wordt meestal goed overleefd, zij het dat de stengels vaak lang en slap zijn geworden. Stekken is dan de juiste oplossing.
Het blad kan veel water verdampen, zodat u 's zomers veel moet gieten. Matig hoge luchtvochtigheid aanhouden en eens in de twee weken bijvoeden met normaal geconcentreerde kamerplantenmest. In de winter wat minder gieten en niet mesten.
Voor het verpotten gebruikt u standaardpotgrond. Om verdamping te beperken gebruiken we plastic potten.
De enige ziekte waar *Iresine* soms wel last van heeft is bladluis. Bestrijden met zeepspiritus.
Vermeerdering. In de lente kunt u kopstekjes snijden, die zelfs op water heel makkelijk bewortelen. In een mengsel van turfmolm en scherp zand gaat het ook goed. Jonge plantjes regelmatig toppen om mooie bossige planten te verkrijgen. Een paar *Iresine*'s samen oppotten sorteert hetzelfde effect.

Links *Maranta bicolor* en rechts *M. leuconeura 'Fascinator'*.

Maranta

Van deze beeldschone bladplanten groeien in tropisch Amerika 25 soorten in het wild, vooral in de regenwouden van Brazilië.
Verzorging. Uit de plaats van herkomst kunnen we al afleiden dat dit eigenlijk warme kasplanten zijn. Natuurlijk zijn ze dan ook zeer geschikt voor gebruik in een bloemenvenster of een fles, maar zelfs in een plantenbak doen ze het vaak nog heel aardig. Een licht beschaduwde plaats, waar felle zonnestralen nooit door kunnen dringen is ideaal. Als de bladeren te weinig licht krijgen verflauwt de magnifieke bladtekening. Zorg voor een zo hoog mogelijke luchtvochtigheid door vaak te nevelen met onthard water en door gebruik van een verdamper. De potkluit mag nooit uitdrogen, zodat u regelmatig moet gieten. Neem hiervoor lauwwarm en onthard water, want *Maranta* heeft een hekel aan koude voeten en aan kalk. Ook de plantenvoeding die u eens in de twee weken in de zomer toedient moet dus vrij van kalk zijn.
Tijdens de groei houden we een temperatuur van 18 tot 22 °C aan, in de winter mag het kwik tot 14 °C dalen. Een koelere kamer gaat gepaard met een hogere relatieve luchtvochtigheid en dat is precies wat *Maranta* wil.
In het voorjaar verpotten in een mengsel van naaldenbosgrond met oude koemest. Neem brede, ondiepe bakken of schalen en draineer ze goed. Als *Maranta* de ruimte krijgt, zoals bij voorbeeld in een kastablet, zijn de resultaten het best.
Vermeerdering. Als u gaat verpotten kunt u van de oude plant wat delen afscheuren en die oppotten en op warme voet laten bewortelen. Zorg voor een vochtige atmosfeer door vaak te nevelen.

Links *Monstera deliciosa* en rechts *M. deliciosa* 'Variegata'.

Monstera (Gatenplant)

De 27 bekende soorten komen oorspronkelijk uit tropisch Amerika, waar de meeste als klimplant in bomen groeien. De bekendste *Monstera*'s, die u op de foto ziet, hebben ingesneden bladeren. Toch is de Nederlandse naam geen verzinsel, want er bestaan ook *Monstera*'s met echte gaten in het blad, zoals *M. obliqua*.
Verzorging. Hoe lichter u de gatenplant zet, hoe groter de bladeren zullen worden en hoe meer gaten erin komen. Wel zorgen dat de zon niet direct op de bladeren kan schijnen. Omdat dit hele sterke planten zijn nemen ze ook met weinig licht genoegen, maar dan groeien ze heel langzaam. De afhangende luchtwortels kunt u in de pot leiden, waar ze dan in grondwortels overgaan. Bij kamercultuur zijn het geen hechtwortels; u moet de *Monstera* dus wel opbinden.
Overwintering in de verwarmde kamer wordt goed doorstaan. De minimum-wintertemperatuur is 12 °C. Bij een koele overwintering geeft u iets minder water dan normaal. Blijft de gatenplant in de kamer staan dan verdient het aanbeveling om vaak te nevelen en regelmatig het blad af te nemen. Zowel gieten als nevelen met onthard water. Houd de wortelkluit matig vochtig. Het is goed om de gatenplant eenmaal per maand te dopen en aan dit doopwater kunt u dan meteen plantenvoedsel toevoegen. Vooral als de planten groter worden consumeren ze nogal wat. Geef ze daarom eenmaal per twee weken voedsel en leid de luchtwortels in de potgrond. In de lente verpotten in standaardpotgrond of een mengsel van bladaarde, oude koemest en zand.
Vermeerdering. Er zijn vele wegen die naar Rome leiden: zaaien – met vers zaad – marcotteren en kop- of oogstek. Stek onder glas bij 25-30 °C bodemwarmte. Bij oogstek moet het blad opgerold worden om verdamping tegen te gaan.

V.l.n.r. *Pelargonium radens, P. graveolens* 'Variegatum' en *P. graveolens.*

Pelargonium (Geranium)

De leden van dit geslacht die om hun bloemen gekweekt worden vindt u op blz. 41. Hier gaan we het hebben over de geraniums die sierlijk en vaak geurend blad bezitten. *Pelargonium capitatum* en *P. graveolens* hebben blad dat naar rozen ruikt, bij *P. citrosmum* en *P. radens* geuren de bladeren naar citroen.
Verzorging. Reukgeraniums zijn oersterke kamerplanten. Ze gedijen goed op een zonnige of halfbeschaduwde plaats. De bonte soorten verlangen iets meer licht en warmte dan de groenbladige geraniums. Ook in de winter kunt u ze zonder veel problemen in de warme kamer houden. In de lente hebben ze dan een opknapbeurtje nodig: snoei ze terug en verpot ze in verse standaardpotgrond. Vooral voor een goede drainage zorgen door onder in de pot een laagje potscherven te leggen en door het grondmengsel een beetje scherp zand te mengen.
Als u ook veel waarde hecht aan de kleine, maar toch aardige bloempjes die dit soort geraniums voortbrengt, dan kunt u beter een iets koelere overwintering verzorgen: minima 10-12 °C. In deze tijd maar héél weinig gieten. Ook tijdens de groei- en bloeiperiode hebben geraniums betrekkelijk weinig water nodig. Een matig hoge luchtvochtigheid is voldoende.
Groenbladige geraniums geeft u tijdens de groei eens in de twee weken een normaal geconcentreerde dosis plantenvoedsel. De bonte soorten kunnen bij te veel voeding hun mooie bladtekening verliezen; die hebben dus genoeg aan een scheutje mest eens in de drie à vier weken.
Vermeerdering. De beste tijd om stek te snijden is augustus. Bewortelde stekjes tot de lente koel houden, zodat ze weinig groeien.

V.l.n.r. *Peperomia argyreia, P. clusiifolia, P. griseo-argentea* en *P. blanda.*

Peperomia

In tropisch en subtropisch Amerika groeien zo'n 1000 soorten *Peperomia*'s. Sommige leven epifytisch, andere groeien op de bodem van de vochtige regenwouden. Het is boeiend om een hele collectie *Peperomia*'s aan te leggen: naast de enorme variatie in bladvorm en -kleur hebben ze ook grappige bloeiaartjes. het zijn half succulente planten, die zowel in de stengels als in het blad vocht vast kunnen houden. Doordat ze weinig water verdampen zijn ze vrij goed bestand tegen de droge kamerlucht en mede daardoor heel gewilde kamerplanten.
Verzorging. *Peperomia*'s staan over het algemeen het liefst op een licht beschaduwde plaats. Uiteraard hebben de bonte soorten meer licht nodig dan de groene. De groenbladigen doen het prima voor een noordraam, de bontbladigen staan beter voor een raam op het oosten of westen. Wanneer de bladeren direct door de zon beschenen worden verliezen ze hun frisse kleur.
Peperomia's mogen het hele jaar door in de kamer blijven staan, want ze hebben geen winterrust nodig. De absolute minimum-winternachttemperatuur is 12 °C, hetgeen overeenkomt met de waarde van een gematigde kas, een plaats waar deze plantjes ook prima gedijen. In de kamer is het geen enkel bezwaar als u een nachttemperatuur van 15 à 16 °C aanhoudt. Tijdens deze periode geeft u iets minder water dan gewoonlijk. Gebruik hiervoor lauwwarm en onthard water. Te veel en te koud gietwater heeft vaak rot tot gevolg. Houd de planten liever iets te droog. Ziet u dat de bladeren slap gaan hangen door droogte dan kunt u altijd even wat extra vloeistof toedienen. Besproei af en toe het blad en haal het stof ervan af, ook weer met lauwwarm en onthard water.
Aan het gietwater eens in de maand tijdens het groeiseizoen wat kalkarm planten-

V.l.n.r. *Peperomia obtusifolia, P. resedaeflora* en *P. serpens.*

Peperomia (vervolg)

voedsel toevoegen, de helft van de normale concentratie. Dit is voldoende, als u de planten tenminste iedere lente verpot. Dat is wel aan te bevelen, omdat *Peperomia*'s een hekel hebben aan voedingszouten en sommige andere stoffen, die bij voorbeeld via het gietwater in hun leefmilieu doordringen. Door verpotten in verse grond verlost u de *Peperomia* van deze ongewenste zaken. Als we eraan denken dat vele *Peperomia*'s epifytisch leven, dan zal het duidelijk zijn dat ze graag een speciaal samengesteld, zurig en humeus grondmengsel willen hebben. Maak dit zelf van bladaarde, turfmolm, oude koemest en wat scherp zand. Brede, ondiepe bakken of schalen met een goede drainage verdienen de voorkeur. In een bloemenvenster doen ze het ook leuk op een epifytenboom. De lattenmandjes, die u wel kent van de orchideeën, zijn prima bruikbaar.
Vindt u dat de bladkleur, die eerst zo sprekend was, wat vaal begint te worden, dan kan dat liggen aan een te hoge luchtvochtigheid of een te nat gehouden wortelkluit. Behandelt u de planten volgens de regelen der kunst dan zullen ze af en toe gaan bloeien, soms zelfs met geurende bloeiaartjes. Laat die witte sprietjes eerst verwelken en haal ze pas daarna van de plant af.
Vermeerdering. In het voorjaar nemen we kop- of oogstek van de soorten die wat langere scheutjes maken. Het bewortelen gebeurt op warme voet, onder glas in een mengsel van turf en zand. De soorten met heel vlezig blad vermeerderen we via bladstek. Neem als steksubstraat een zanderig, vrij droog mengsel met het oog op rot. Als u stekt, laat dan altijd de wonden eerst enige tijd drogen vóór u de stekjes in het grondmengsel zet en geef wat bodemwarmte.

V.l.n.r. *Philodendron erubescens, P. ilsemannii* en *P. laciniatum.*

Philodendron

Deze naam is afgeleid van het Griekse *philein* en *dendron,* wat respectievelijk houden van en boom betekent: *Philodendron*'s houden ervan om in bomen te klimmen. In huis kunnen we daar rekening mee houden door voor de grote soorten voldoende steunsel aan te brengen. U koopt ze veelal met een mosstok in de pot, maar die blijkt al spoedig te klein. Van de 275 bekende en uit tropisch Midden- en Zuid-Amerika stammende soorten is er ook een aantal dat veel kleiner blijft. Deze soorten kunnen goed in hangmandjes gekweekt worden.

Verzorging. Een groot pluspunt van de *Philodendron* is dat u hem het hele jaar door in de kamer kunt laten staan en dus niet voor een koele overwinteringsperiode hoeft te zorgen. Een temperatuur van 20 °C of hoger, twaalf maanden per jaar, is het best. De minimumtemperatuur ligt op 14 °C. Deze warmteminnaar waardeert het zelfs niet als u hem op een mals zomerregenbuitje trakteert, want hij vindt het water te koud. Houd de wortelkluit het hele jaar door matig vochtig. Tussen twee gietbeurten mag de aarde opdrogen. Gebruik lauwwarm water, dat gedemineraliseerd moet zijn, omdat de *Philodendron* een hekel aan kalkzouten heeft. Tijdens het groeiseizoen voegt u aan dit water eens in de veertien dagen een kalkarme meststof van normale concentratie toe. In de winter is er te weinig licht en zal de groei vrijwel stilstaan. Als de bladeren geel worden dan ligt de fout vrijwel zeker bij het water geven: te veel of te weinig.

Wat echter moeilijker is dan een juiste dosis water toedienen is een hoge relatieve luchtvochtigheid handhaven. Omdat koude lucht meer water kan bevatten dan warme lucht kunt u de relatieve luchtvochtigheid verhogen door de temperatuur iets te verlagen. Wellicht schaft u liever een elektrische verdamper aan. Regelmatig nevelen

V.l.n.r. *Philodendron scandens, P. panduriforme* en *P. selloum.*

Philodendron (vervolg)

met regenwater – geen kalkvlekken – is natuurlijk prima. De soorten met gladde, grote bladeren kunt u met een sponsje of een nat lapje van stof ontdoen. Schildluis is meestal te wijten aan te lage luchtvochtigheid. De meeste *Philodendron*'s staan bij voorkeur op een licht beschaduwde plaats. De bonte soorten hebben iets meer licht nodig, terwijl *P. scandens* juist enorm veel schaduw verdraagt. Ramen op het oosten en westen zijn zeer geschikt.
Als de planten het erg naar hun zin hebben – helaas ook wel eens ten teken dat ze het tijdelijke met het eeuwige gaan verwisselen – vormen ze een typisch aronskelkachtige bloeiwijze, een witte bloeikolf met een wit schutblad. Als de bloeiwijze vrucht gaat zetten, snijdt u hem weg.
Iedere lente verpotten in een eigengemaakt mengsel van naaldenbosgrond, oude koemest en turfmolm of een mix van verteerd beukenblad, varenwortel en styromul. Als het mengsel maar kalkarm, humeus en luchtig is zit u altijd goed. De eerste maand na het verpotten hoeft u geen plantenvoedsel toe te dienen. Verder heeft de *philo* de laatste jaren zijn sporen verdiend in de hydrocultuur. In vrijwel ieder groot kantoor met gemengd beplante hydrobakken vindt u de *Philodendron* terug.
Vermeerdering. Een enkele keer wordt vers zaad aangeboden, maar meestal zult u alleen via marcotteren en stekken kunnen vermeerderen. Oog- of kopstek wordt onder glas bij 25-30 °C bodemwarmte beworteld in een mengsel van turf en zand. U kunt ook een stuk stengel met luchtwortels eraan afsnijden en oppotten.
Marcotteren passen we toe bij oude *philo*'s, die van onderen kaal geworden zijn. Het bewortelen kan wel eens lang op zich laten wachten.

V.l.n.r. achter *Pilea superba, P. cardierei, P. nummularifolia* en voor *P. nummularifolia* (een mini-hybride) en *P. spruceana* 'Norfolk'.

Pilea (Kanonplantje)

U hoeft niet bang te zijn voor rondvliegende projectielen. Als bij zonnig weer de bloempjes natgemaakt worden trekken de helmdraden plotseling samen, waarop het stuifmeel weggeschoten wordt. Vandaar de Nederlandse naam. De 200 soorten zijn inheems in alle tropische delen van de wereld, behalve in Australië.
Verzorging. Om het aardige blad zo mooi mogelijk te houden verlangen deze onschuldige kanonplantjes een lichte standplaats, waar de felle zonnestralen geweerd worden. Omdat ze van een vochtige atmosfeer houden staan ze graag in een gematigde kas. Dat de wintertemperatuur daar 's winters tot 12 °C daalt kunnen ze net hebben. Maar een overwintering in de kamer overleven ze ook prima, mits u maar voor een hoge luchtvochtigheid zorg draagt. De soorten met gladde bladeren kunnen vaak besproeid worden. Daarvan is *P. cardierei* een van de sterkste. Bij soorten met gebobbeld blad kan nevelen resulteren in zwarte vlekken op het blad.
Met water geven moeten we voorzichtig zijn omdat constant vochtige potgrond rot tot gevolg kan hebben. Laat de aarde tussen de gietbeurten opdrogen. 's Winters, als de *Pilea* wat koeler staat, navenant minder gieten. Van mei tot oktober iedere veertien dagen wat plantenvoedsel aan het gietwater toevoegen, de helft van de op de verpakking aangegeven concentratie.
In het voorjaar verpotten met een mengsel van twee delen bladaarde, een deel graszodengrond, een deel oude koemest en een deel scherp zand of perlite. Neem ondiepe, wijde bakken of schalen en draineer ze goed.
Vermeerdering. Mei is de beste tijd om kopstek te nemen. Laat de stekjes op warme voet onder glas bewortelen. Soms lukt het ook op water.

V.l.n.r. *Pittosporum tobira, P. tobira* 'Variegatum' en *P. eugenioides.*

Pittosporum

Deze struikjes zijn eigenlijk geen kamer-, maar kuipplanten. Dat houdt in dat ze gedurende de zomer buiten in de tuin of op het terras gezet kunnen worden, en dat ze absoluut koel moeten overwinteren. Na verloop van tijd kunnen ze nogal uitgroeien, dus als u weinig ruimte heeft geldt: bezint eer gij begint. Heel vroeg in het jaar, al vanaf februari, gaat de *Pittosporum* bloeien met heerlijk geurende bloemen; een jaarlijks terugkerend genoegen. In Azië en Afrika zijn 160 soorten inheems.
Verzorging. Vanaf eind mei mogen *Pittosporum*'s op een licht beschaduwd plekje buiten staan. Voor de eerste nachtvorst in september haalt u ze weer naar binnen en zet ze op een lichte, koele plaats. De minimum-wintertemperatuur is 5 °C. Een koude kas is een heel geschikte overwinteringsruimte. Staat de *Pittosporum* 's winters te warm dan treedt al gauw een aantasting door schildluis op. Ze houden 's winters het blad en moeten dus af en toe gegoten worden. In de zomer geeft u ruim water, bij voorkeur regenwater. Tijdens de groei voegt u daar eens in de veertien dagen een scheut normaal geconcentreerd plantenvoedsel aan toe.
Jonge planten verpot u iedere lente, oudere exemplaren eens in de twee à drie jaar. Stel een grondmengsel samen van twee delen klei en een deel bladaarde, of meng door standaardpotgrond een zelfde hoeveelheid klei of leem. Kuipjes of plastic containers verdienen de voorkeur boven stenen potten.
Vermeerdering. Neem in augustus half-uitgerijpte topstekjes en laat die op warmte en onder glas bewortelen. Vermeerdering uit vers zaad is ook mogelijk. Als de bloemen bestoven zijn kunt u zaad van uw eigen planten oogsten.

V.l.n.r. *Polyscias balfouriana* 'Marginata', *P. filicifolia, P. fruticosa* 'Elegans' en *P. paniculata* 'Variegata'.

Polyscias

Aparte, vaak heel sierlijk bebladerde, *Aralia*-achtige planten, waarvan we meer dan 70 soorten kennen, die inheems zijn in Madagascar, tropisch Oost-Azië en op de Zuidzee-eilanden. Tegenwoordig worden uit deze landen, net als bij de *Dracaena*, stukken stam geïmporteerd, die hier bij hoge temperaturen en onder glas bewortelen en uitbotten. Na het afharden worden ze te koop aangeboden.
Verzorging. Geef *Polyscias* veel licht, maar geen volle zon, warmte en een hoge luchtvochtigheid en u zult vrijwel zeker succes boeken. De laatste eis is de moeilijkste om aan te voldoen; eigenlijk staat *Polyscias* het liefst in een kasje. Enkele malen per dag nevelen en het gebruik van een verdamper maken een langdurig verblijf in de kamer mogelijk. In de zomer moet u ruim gieten met onthard of regenwater. Het is de bedoeling dat de potkluit steeds vochtig blijft. Van mei tot half augustus iedere veertien dagen bijmesten met een kalkarm, normaal geconcentreerd voedingsmiddel. De minimum-wintertemperatuur ligt bij 15 °C. Te warm overwinterde planten zijn in het voorjaar erg gevoelig voor schildluis. Het blad blijft aan de plant en u moet dus wel af en toe gieten. Na deze rustperiode verpotten we als de lente is aangebroken. Als grondmengsel kunt u naaldenbosgrond met oude koemest gebruiken of een mix van twee delen klei of leem, twee delen bladaarde, een deel scherp zand of perlite en een deel oude koemest. Beide mengsels geven een prima resultaat.
Vermeerdering. Snijdt u na de winter de *Polyscias* terug, dan kunt u mooi het snoeisel als stek gebruiken. Haal ruim de helft van het blad van de kopstek af en laat de stekken bij 25-30 °C bodemwarmte onder glas bewortelen.

V.l.n.r. *Rhaphidophora aurea, R. aurea* 'Marble Queen' en *Scindapsus pictus* 'Argyraeus'.

Rhaphidophora / Scindapsus

Dat u deze twee geslachten op één bladzijde vindt is geen toeval. Beide behoren tot de familie der aronskelkachtigen en *Raphidophora* heette vroeger – en wordt ook nu nog wel ten onrechte aangeduid als – *Scindapsus*. Beide geslachten tellen verschillende soorten, die alle uit Zuidoost-Azië afkomstig zijn.

Verzorging. *Rhaphidophora aurea* kan met heel weinig licht toe, maar de bonte vorm verlangt een lichte tot halfbeschaduwde standplaats. Direct zonlicht mag de bladeren niet beschijnen. Dit geldt ook voor de *Scindapsus*. Zoals u op de foto kunt zien kunnen deze planten zowel hangend als klimmend gekweekt worden. Ook 's winters blijven ze gewoon in de kamer staan, omdat ze geen rustperiode nodig hebben. De minimum-wintertemperatuur ligt bij 15 °C. De sterkste soort, *R. aurea*, verdraagt 12 °C ook nog. Dit is werkelijk een van de sterkste kamerplanten.

In de lente verpotten in een luchtig en zurig mengsel, zoals naaldenbosgrond vermengd met oude koemest en turf. Standaardpotgrond voldoet ook. Bij voorkeur plastic potten gebruiken en zorgen voor een goede drainage. De *Scindapsus* doet het ook leuk op een epifytenboom in kas of bloemenvenster. Tijdens de groeiperiode houdt u de wortelkluit matig vochtig met lauwwarm, onthard water, waaraan u eenmaal in de twee weken wat normaal geconcentreerde kamerplantenmest toevoegt. Ook dient de mest kalkarm te zijn.

Vermeerdering. *Rhaphidophora* laat zich heel makkelijk stekken. Jonge topjes bewortelen zelfs op water. Oogstek zowel als kopstek kan zonder extra bodemwarmte in zand en turf wortel schieten. Over de aarde kruipende scheuten vormen zelf wortels. Afsnijden en oppotten. *Scindapsus*-stek 25-30 °C bodemwarmte geven.

V.l.n.r. *Sansevieria trifasciata*, *S. trifasciata* met bloem, *S. trifasciata* 'Golden Hahnii' en *S. trifasciata* 'Laurentii'.

Sansevieria (Vrouwentongen)

Oersterke en overbekende kamerplanten, die oorspronkelijk in woestijngebieden groeien, bij voorbeeld in Ethiopië.
Verzorging. Vrouwentongen groeien zelfs op de meest ongunstige plaatsen in uw huis als ze maar niet te koud en te nat staan. Het liefst groeien ze op een half zonnige, lichte plaats; de bladtekening zal zich dan optimaal ontwikkelen.
De bladeren van deze woestijnbewoners zijn geschikt om een grote hoeveelheid vocht op te slaan, zodat ze droge periodes goed kunnen overleven. De buitenkant is bovendien leerachtig, zodat het blad weinig water verdampt. Houd de vrouwentong tamelijk droog; alleen bij hoge temperaturen matig gieten. Tijdens de groeiperiode voegt u aan het water iedere veertien dagen wat cactusvoeding toe. Daar zit weinig stikstof in, zodat het blad niet zo snel groeit en de bloemvorming gestimuleerd wordt. De bloei valt meestal aan het eind van de zomer. De bloempjes zijn groenig-wit en 's nachts verspreiden ze een aangename geur.
De minimum-wintertemperatuur is 14 °C. Het is echter helemaal niet nodig om *Sansevieria*'s een rustperiode te geven. In de kamer doen ze het prima en hebben ook geen last van droge lucht, zodat u ze zonder extra voorzorgen de winter door kunt helpen. Alleen met water geven voorzichtig zijn: houd ze aan de droge kant, vooral als de temperatuur een paar graden lager dan normaal is, want anders rot de bladbasis weg. Om het jaar in de lente verpotten in een willekeurig mengsel. Wel voor een goede drainage zorgen.
Vermeerdering. Door delen. De groene soort ook via bladstek, dat u eerst op laat drogen en dan in een zanderig mengsel bij 25 °C laat bewortelen.

V.l.n.r. *Schefflera actinophylla, S. digitata* en *S. venulosa.*

Schefflera

Dit geslacht behoort tot de *Aralia*-achtigen en omvat 150 soorten die in vele tropische landen inheems zijn. De bekendste soort, *Schefflera actinophylla*, is afkomstig uit Australië. *Schefflera*, ook wel *Heptapleurum* genoemd, groeit daar in de hooglanden, zodat hij hier ook voor koele ruimten zeer geschikt is.
Verzorging. Vanaf eind mei tot september zet u de *Schefflera* op een lichte, maar niet te zonnige plek in de tuin, waar hij matig gegoten wordt en eens in de drie weken kamerplantenvoedsel van normale concentratie krijgt. Als u hem weer naar binnen haalt, laat de plant dan enkele weken acclimatiseren alvorens hem in een warme, droge ruimte te zetten. Koele trappenhuizen en gangen zijn trouwens meer geschikt om een mooie *Schefflera* op te kweken dan ruimten waar kamertemperatuur heerst. Bedenk wel dat deze plant een hekel heeft aan tocht, wat aantasting door spint in de hand werkt. Wilt u 's winters het loof aan de plant houden, dan mag het kwik niet onder 12 °C dalen. Bij lagere temperaturen valt het blad af, maar de plant zal in het voorjaar weer uitlopen. *Schefflera*'s groeien snel en vooral jonge planten worden graag tweemaal per jaar verpot. Gebruik standaardpotgrond of een mengsel van twee delen bladaarde of naaldenbosgrond, een deel klei en een deel oude koemest. Plastic containers nemen en goed draineren.
Omdat het dikke blad nogal weinig verdampt kan de *Schefflera* redelijk goed tegen onze vrij droge woonomgeving.
Vermeerdering. Zaaien is veelal de succesvolste methode. Het zaad verliest snel zijn kiemkracht en het is dus zaak zo vers mogelijk zaad op de kop te tikken. Zaai onder glas bij 20-25 °C. Top- of oogstek van *S. venulosa* bewortelt bij 20-25 °C.

V.l.n.r. *Syngonium podophyllum* 'Imperial White', *S. auritum*, *S. podophyllum* 'Variegatum'.

Syngonium

Dit tot de aronskelkachtigen behorende geslacht telt 20 soorten, die in het wild groeien in Midden- en Zuid-Amerika, in de schaduwrijke en vochtige tropische regenwouden.
Verzorging. Eigenlijk voelen deze planten zich het best thuis in een warme kas of in een bloemenvenster, maar de sterkste soorten kunt u met wat extra zorg ook in de kamer lang mooi houden. Een koele overwinteringsperiode hebben ze niet nodig en dat is maar goed ook, want het zijn klimplanten die goed langs een raam of muur te leiden zijn en dan zou het erg veel werk betekenen als u ze ieder jaar moest verplaatsen. De minimumtemperatuur ligt bij 15 °C. *Syngonium* heeft het kwik echter liever op 20 °C.
Geef deze planten een licht beschaduwde plaats, waar de felle zonnestralen het blad niet kunnen beschijnen. De luchtwortels kunt u in de aarde leiden, waarna ze in grondwortels overgaan. De wortelkluit houdt u het hele jaar door matig vochtig met onthard of regenwater, dat u eerst op temperatuur moet brengen. Tijdens de groei voegt u daar iedere twee weken wat kalkarme kamerplantenmest van normale concentratie bij. Om een matig hoge luchtvochtigheid te verkrijgen, gebruik maken van een verdamper en regelmatig het blad met regenwater besproeien. Eenmaal per maand het stof van de bladeren verwijderen. Wol- of schildluis tast vaak planten aan die op de tocht staan. In het voorjaar verpotten in plastic potten met een grondmengsel van bladaarde of naaldenbosgrond, turf en oude koemest.
Vermeerdering. Oog- of kopstek bewortelt onder glas bij 20-25 °C. Marcotteren wordt meestal toegepast bij oudere planten, die van onderen kaal zijn.

V.l.n.r. *Tradescantia blossfeldiana* 'Variegata', *T. blossfeldiana, T. albiflora* 'Rochford Silver', *Setcreasea purpurea* en *Zebrina pendula* 'Quadricolor'.

Tradescantia (Vaderplant) / **Setcreasea** / **Zebrina**

Alle afgebeelde planten behoren tot de familie der *Commelinaceae*. Zowel hun habitus als de verzorging komt overeen, vandaar dat er één bladzijde in dit boek aan gewijd is. Ze stammen allemaal uit Midden- en Zuid-Amerika. In kasjes worden ze wel als bodembedekkers gebruikt, in de kamer zijn het leuke hangplanten.

Verzorging. Een lichte standplaats is gewenst om de mooie bladtekening te behouden. Groene soorten kunnen wat meer schaduw verdragen; zonlicht bekomt ze slecht. In de zomer kan de *Tradescantia* buiten staan, evenals de *Setcreasea*, die zo hard is dat hij in zachte winters op een beschutte plek in de tuin kan overwinteren. De minimum-wintertemperatuur voor de *Tradescantia* is 10 °C, voor de *Zebrina* 12°C.

Omdat alle soorten een vochtige atmosfeer prefereren is het gunstig om ze 's winters wat koeler te zetten, omdat koudere lucht relatief meer water kan bevatten. Erop letten dat u niet te veel water geeft, want deze *Commelinaceae* hebben enigszins succulente stengels, wat erop wijst dat hun waterbehoefte gering is. Vooral in de winter de aarde tussen de gietbeurten helemaal op laten drogen. Met voeden moeten we ook al niet te scheutig zijn: veel mest geeft slappe scheuten en komt de bladtekening niet ten goede. Tijdens de groei iedere drie weken een dosis mest bij het gietwater voegen. Iedere lente verpotten in gewone standaardpotgrond. Oudere planten zijn meestal minder mooi, zodat u er verstandig aan doet ze regelmatig terug te snijden en te stekken.

Vermeerdering. Scheuten die de aarde raken bewortelen vaak al vanzelf: snijd ze af en pot ze op. Kopstek een dagje in laten drogen alvorens ze in het stekmedium te steken. Stekjes bewortelen trouwens ook heel makkelijk op water.

V.l.n.r. *Yucca elephantipes*, *Yucca aloifolia*, *Yucca elephantipes* op stam.

Yucca (Palmlelie)

In Midden-Amerika groeien zo'n 30 verschillende soorten. Sinds de jaren zestig heeft de palmlelie een grote opgang gemaakt en is het een geliefde kuipplant.
Verzorging. Zoals uit de term kuipplant al duidelijk wordt is dit geen dankbare kamerbewoner. 's Zomers staat hij het liefst op een terras, balkon of in de tuin op een lichte, zonnige plaats. In de winter komt hij in een koele, vorstvrije en zo licht mogelijke ruimte. Ideaal is natuurlijk de koude kas, maar een garage of een onverwarmde kamer voldoet ook, mits er voldoende licht is. De minimum-wintertemperatuur is 5 °C. Bij een te warme overwintering komen in het volgende groeiseizoen allerlei problemen, zoals schildluis. Houd de *Yucca* tijdens deze koele periode vrijwel droog. Vanaf half mei staat het sein 'kuipplanten naar buiten' weer op groen. De eerste tijd verdient het aanbeveling om nog tegen de felle zonnestralen te schermen, daar anders door de grote overgang veel geel blad ontstaat. Dat de onderste bladeren na verloop van tijd geel worden is een natuurlijk verschijnsel. Laat geel geworden blad rustig aan de plant zitten tot het verdroogd is.
Als we jaarlijks verpotten in een mengsel van klei of leem, bladaarde, oude koemest en scherp zand, is bijvoeden overbodig. Plant de *Yucca* bij voorkeur in een plastic container en voorzie hem van een goede drainage.
Vermeerdering. Stekken is niet eenvoudig, maar wel een aardig experiment. Neem een topstek van 40 cm lengte en hang die op, uit de zon en met het snijvlak naar beneden. Nadat de stek maandenlang gedroogd heeft kan het zijn dat u eensklaps worteltjes ziet verschijnen! Dan pot u de stek op. Vermeerderen uit zaad is ook mogelijk. Soms vormt de *Yucca* bewortelde zijscheuten die u kunt oppotten.

Cactussen

Alle cactussen behoren tot dezelfde familie, de *Cactaceae*. Het zijn echte liefhebbersplanten: sommige mensen hebben hun huis ermee vol staan en anderen willen voor geen prijs een cactus in huis hebben.
Cactussen zijn succulente planten, die zich van andere vetplanten onderscheiden door het bezit van knobbels of kussentjes, de areolen, waarop meestal de doorns zijn ingeplant. Als we aan een cactus denken zien we meestal voor ons geestesoog een bol- of zuilvormig cactuslichaam verschijnen, waarop dan doorns zijn ingeplant, of dat een waas van zilverwitte haren om zich heeft. Schijfcactussen als de *Opuntia* en bladcactussen als de *Epiphyllum* horen echter ook bij de familie.
Bladcactussen groeien als epifyten in het vochtige regenwoud en verlangen een hele andere verzorging dan je van een cactus zou mogen verwachten. Deze planten hebben een hekel aan zon en staan tijdens de groei het liefst in een licht vochtig, humeus grondmengsel, in een tamelijk vochtige omgeving.
Over het algemeen zijn de zuilcactussen de sterkste groeiers en ook sterke planten. In hun jeugdstadium zijn ze veelal bol- tot tonvormig. Sommige cacteeën beschikken over een speciale waslaag om verdamping tegen te gaan. Ook de witte beharing heeft dit tot taak, maar daar komt nog bij dat de haren een uitstekende bescherming tegen de zon zijn. Behaarde cactussen hebben veel licht en zon nodig.
Zoals u weet kunnen cactussen water opslaan in hun lichaam, zodat ze ook de moeilijke droge perioden kunnen overleven. Zoals alle planten met reserveorganen moeten we ook bij cactussen voor een rustperiode zorgen. De minimum-wintertemperatuur van de meeste soorten ligt bij 5 °C. Het is belangrijk dat ze in deze tijd voldoende licht krijgen. Er zijn trouwens ook soorten die hun rustperiode in een ander seizoen hebben, maar dat staat dan in de tekst vermeld. Tijdens de rust geven we nauwelijks of in het geheel geen water, afhankelijk van de temperatuur.
Als we vanaf november de cactussen geen water meer geven, dan kunnen veel soorten zelfs een enkele graad vorst zonder problemen doorstaan, terwijl dit de bloeiwilligheid zeer blijkt te bevorderen. Een koele winterperiode voorkomt bovendien veel nare aantastingen in volgende seizoenen. Als de temperatuur in de winter in uw koude kasje – de ideale overwinteringsplaats voor cactussen – te hoog oploopt, dan moet u luchten en evt. licht broezen. Ook als u merkt dat na een lange, droge periode de cactuslichamen inkrimpen kunt u licht nevelen en/of een paar drupjes water geven.
Een te vochtig grondmengsel of te vochtige lucht veroorzaakt vooral bij lage temperaturen enorm snel rot, zodat u zeer weloverwogen uw watergift moet doseren. Gebruik regenwater in plaats van leidingwater, omdat cacteeën niet dol zijn op kalk. In de zomer kunt u de potjes eenmaal per week in een ondiepe bak met water zetten. Als ze zich volgezogen hebben houden ze het zeker een week uit, of het moet supermooi en warm weer worden. Een- of tweemaal per maand kunt u aan dit water cactusvoeding toevoegen. Deze mest moet arm zijn aan stikstof, anders groeien ze te snel en worden ze vatbaar voor ziekten. Om de planten tijd te geven rustig af te rijpen voeden we na begin augustus niet meer.
's Winters is volle zon geen bezwaar, maar in het voorjaar is het goed tijdens felle zon wat te schermen, zodat de cactussen langzaam aan een grotere lichtintensiteit kunnen wennen. De meeste soorten verdragen volle zon, maar enkele soorten prefereren lichte schaduw.
Een goed grondmengsel voor cactussen bestaat uit normale potgrond, vermengd met 30-50% perlite, omdat dit doorlatend en toch vochthoudend is. Als u een mooie bedoorning extra wilt stimuleren moet u een mineralenrijke grond als klei aan het mengsel toevoegen. Als u voorzichtig giet kunt u het best plastic potjes gebruiken. Neem ze niet te klein.
Ziekten die cactussen belagen zijn bijna altijd terug te voeren op een verkeerde verzorging. Een van de kwalijkste zaken is de combinatie van hoge luchtvochtigheid met lage temperatuur, waardoor kurkvorming of rot optreedt. Dierlijke aantastingen komen meest voor na een te warme overwintering.

V.l.n.r. *Astrophytum ornatum*, de bisschopsmuts *A. myriostigma*, *A. capricorne* en vooraan *A. asterias*.

Astrophytum

Vrij vertaald uit het Grieks betekent *Astrophytum* sterplant. Als u deze – uit Mexico afkomstige – cactussen van bovenaf bekijkt kunt u wel zien waar ze deze naam aan te danken hebben. De vier bekende soorten zijn hierboven allemaal afgebeeld. De bloei valt meestal in de zomer.
Verzorging. *Astrophytum asterias* zet u op een halfbeschaduwde plaats, de andere soorten krijgen wat meer licht, maar niet de felle bestraling van de middagzon. Houd ze 's zomers warm, minimum-nachttemperatuur 16 °C. Een koele overwinteringsplaats is voorwaarde voor een goede bloei. Een koude kas of een niet verwarmde slaapkamer zijn geschikt, als u de cacteeën daar op een droge en lichte plaats kunt zetten. Temperatuur 5-10 °C. Tijdens de rustperiode hoeft u bijna nooit water te geven. Zorg voor een lage luchtvochtigheid, anders rotten ze gauw of krijgen lelijke gele of bruine vlekken. Vooral de bisschopsmuts is een makkelijke bloeier.
Van maart tot oktober geeft u water bij voldoende hoge temperaturen, als de grond erg droog is. Als u ieder jaar een vers en voedzaam nieuw grondmengsel geeft is bijvoeden overbodig. Anders eens in de maand bijmesten met een speciaal cactusvoedsel in de concentratie die op de verpakking aangegeven wordt. Behalve kant en klaar gekochte cactusaarde kunt u zelf een goed mengsel maken van twee delen klei, een deel bladaarde, een deel scherp zand en wat beendermeel.
Vermeerdering. In de lente kunt u de zaden aan de aarde toevertrouwen, bodemtemperatuur 21-25 °C. Ze kiemen snel, maar pas in het eerste stadium op voor smeul. Mochten oudere exemplaren zijstengels maken – *A. asterias* doet dat niet – dan kunt u die 's zomers afsnijden en in zand stekken. Beworteling na 3 à 4 maanden.

V.l.n.r. *Cereus jamacaru, Trichocereus vatteri, Haageocereus decumbens, Cereus peruvianus* 'Monstruosus' en *Trichocereus forbesii.*

Cereus (Zuilcactus)

In de noordelijkste landen van Zuid-Amerika zijn een dertigtal van deze cacteeën inheems. Het Latijnse *cereus* betekent waskaars of -fakkel, hetgeen duidt op een zuilvormige groei. *Cereus peruvianus* 'Monstruosus' maakt hier met zijn grillige vorm een uitzondering op: hij heeft een gestoord vegetatiepunt. De meeste zuilcactussen groeien sterk en zijn gemakkelijke kamerplanten.
Verzorging. Geef ze een lichte en zonnige plaats op de vensterbank, of 's zomers een dito beschut plekje op het terras of in de tuin. Eigenlijk kunt u deze cacteeën precies zoals andere kuipplanten behandelen. In de winter staan ze dus het liefst op een lichte en koele plaats, temperatuur minimaal 4 °C. Maar zelfs als u de *Cereus* in de woonkamer laat overwinteren zal hij het daar niet minder goed om doen. Hoogstens wordt de kans op aantasting door wol- en dopluis iets groter. Tijdens de bloei geven we spaarzaam water en spuiten af en toe het stof van de plant om de poriën lucht te geven. In de winter nauwelijks gieten om te voorkomen dat zich spichtige zuilen vormen. De *Cereus*-soorten hebben een waslaag over hun lichaam die de verdamping beperkt waardoor ze het hele jaar door met een lage luchtvochtigheid toe kunnen.
Verpotten is zeker niet ieder jaar nodig. In de jaren waarin u verpot geeft u geen voedsel, in de andere jaren dient u tijdens het groeiseizoen eenmaal per maand wat normaal geconcentreerd cactusvoedsel toe. Verpot in een goed doorlatend, normaal tot kalkrijk mengsel. Soorten met mooie doornen hebben graag wat extra klei door de potgrond.
Vermeerdering. In de lente kan gezaaid worden. Topstek eerst in laten drogen alvorens in een zanderig mengsel op te potten.

Epiphyllum-hybride

Epiphyllum (Bladcactus)

De bladcactus is geliefd om zijn prachtige, vaak fel gekleurde bloemen. De twintig bekende soorten zijn inheems in Midden- en Zuid-Amerika, vooral in Mexico. Ze groeien daar in vochtige regenwouden op bomen, epifytisch dus. Vandaar dat ze een wat andere behandeling wensen als die we van de meeste cactussen gewend zijn.
Verzorging. Vanaf eind mei mogen de bladcactussen op een beschut plekje in de tuin staan, ergens waar de zon ze niet kan beschijnen. Houdt u ze in de kamer, dan voor voldoende frisse lucht zorgen. Te veel licht of zon doet het blad roodachtig verkleuren. In september, voor de eerste nachtvorst, haalt u de cacteeën weer naar binnen en laat ze op een koele – 8 à 10 °C – en lichte plaats een winterrust doormaken, van november tot februari. Dit werkt bloeibevorderend, evenals het toppen van de langste stengels. De bloemen verschijnen alleen aan stengels die minstens twee jaar oud zijn. Knopval wordt veroorzaakt door verandering van standplaats of te grote verschillen tussen dag- en nachttemperatuur. Tijdens de rust spaarzaam gieten. Geleidelijk wat meer geven en in de echte groeiperiode zorgen dat het grondmengsel licht vochtig blijft. Dan weer geleidelijk minder gieten tot de winterrust aanbreekt. Gebruik onthard, lauwwarm water.
In de winter mag de luchtvochtigheid laag zijn, maar 's zomers liever 50 à 60% aanhouden. Te droge lucht geeft roodverkleuring van het blad en de planten worden makkelijker door spint en wolluis aangetast. In lente en zomer iedere twee weken normaal geconcentreerde cactusvoeding geven. Verpot iedere 3 à 4 jaar in een humeus en voedzaam mengsel: verpakte potgrond met klei, sfagnum, zand en turfmolm.
Vermeerdering. Via zaad of 10 cm stengelstek, dat in zand bewortelt na indrogen.

V.l.n.r. *Ferocactus herrerae, F. glaucescens, F. latispinus* en *F. pilosus.*

Ferocactus

Fero komt van het Latijnse *ferus*, dat wild of dreigend betekent. Waarschijnlijk vond de naamgever van *Ferocactus* dat de metershoge zuilen vol doornen een dreigende aanblik boden. De 35 soorten stammen uit de zuidwestelijke woestijngebieden van de Verenigde Staten en Mexico. Daar kunnen ze wel 4 meter hoog worden. Bij ons vinden we meestal de jonge bol- tot tonvormige exemplaren.

Verzorging. Om de doorns mooi te laten kleuren hebben deze cactussen in de zomer een plaatsje pal in de zon nodig. Of dat nu in uw tuin of op de vensterbank voor een zuidraam is maakt niet uit. Giet ze met onthard of regenwater en laat de aarde tussen de gietbeurten opdrogen. Als het erg warm weer is: nevelen. Tijdens de groeiperiode kunt u aan het gietwater wat cactusvoedsel toevoegen. Gebruik de dosering die op de verpakking aangegeven staat.

Van eind oktober tot begin maart houdt u deze cacteeën vrij droog. De rustperiode wordt doorgebracht bij temperaturen tussen 5 en 10 °C, in een koude kas of onverwarmde slaapkamer. Deze koele tijd heeft een betere bloemvorming als resultaat. De bloemen verschijnen, naar gelang de soort, in lente of zomer.

Verpotten is een werkje dat in maart moet gebeuren. Hoe mineraalrijker u het cactusmengsel maakt, des te mooier zal de bedoorning zich ontwikkelen. Ongeënte planten mogen niet ieder jaar verpot worden.

Problemen treden alleen op als u in de winter te veel giet of 's zomers te weinig. In het eerste geval treedt rot op, in het tweede meestal spint of wolluis.

Vermeerdering. In april bij 21 °C zaaien. De eerste winter de cactusjes nog een beetje vochtig houden. Verder door afnemen van jonge planten.

V.l.n.r. achter *Gymnocalycium gibbosum, G. baldianum, G. multiflorum.* Voor links *G. mihanovichii;* rechts *G. denudatum.*

Gymnocalycium

Dit cacteeëngeslacht kent wel vijftig soorten, maar het bekendst zijn toch de kleine groene zuiltjes met de gele of rode bolletjes erop. Dat is jammer, want de minder kunstmatig aandoende soorten (afgebeeld) kunnen prachtig bloeien en hebben een veel natuurlijker habitus, terwijl ook de bedoorning van sommige soorten zeer de moeite waard is. Vooral in Argentinië zijn veel *Gymno*'s inheems.

Verzorging. Een lichte plaats zonder directe zonbestraling is het meest geschikt. Van oktober tot maart, tijdens hun rustperiode, mogen ze wel wat zonneschijn hebben, en in elk geval ook een lichte plaats. Een koude kas, waar de temperatuur tussen de 5 en 10 °C zweeft, is een prima overwinteringsplek. Geef net zoveel water dat de cactuslichamen niet indrogen. In de zomer geven we matig water en zorgen ervoor dat de aarde tussen de gietbeurten eerst helemaal op kan drogen. Bij heel warm weer is het goed om de *Gymnocalycium* eens te nevelen, maar deze cactussen zijn zeer goed bestand tegen droge kamerlucht.

Het is geen absolute noodzaak om deze cactussen bij te voeden gedurende het groeiseizoen, vooral niet als u ze net dit jaar verpot hebt. Mocht dat niet het geval zijn dan kunt u eenmaal per twee weken wat cactusvoedsel aan het gietwater toevoegen, in de concentratie die op de verpakking aangegeven staat.

In de lente verpotten in voedzame, doorlatende grond, zoals verpakte cactusaarde.

Vermeerdering. Een aantal *Gymnocalycium*'s maakt spruiten, die we voorzichtig van de moederplant kunnen losmaken en stekken. De gekleurde bolletjes kunnen alleen geënt worden. Ze bezitten namelijk geen bladgroen en kunnen daarom alleen op een onderstam leven die voor hen de assimilatie verzorgt.

V.l.n.r. achter *Lobivia rubescens* en *L. pentlandii*, vooraan *Mediolobivia bödekeriana, Lobivia arachnacantha* en *L. uitewaaleana*.

Lobivia

Misschien deed de naam *Lobivia* u al ergens aan denken? Het is een anagram voor Bolivia, het land waar de meeste soorten vandaan komen. In totaal zijn er dik zeventig verschillende *Lobivia*'s, die ook nog groeien in Argentinië en Peru. Het zijn prima cactussen om veel succes mee te boeken, ook al bent u nog niet zo'n ervaren cactussenkweker. De cultuur is eenvoudig en ze bloeien al op jeugdige leeftijd.
Verzorging. Laat de *Lobivia*'s in de zomer volop van frisse lucht en zon genieten. Ze mogen op een beschutte plaats buiten staan of op een zonnige vensterbank op het zuiden. Hoe meer zon, des te mooier zullen de doornen zich ontwikkelen. De bloemen, die in het voorjaar verschijnen, blijven niet zo lang mooi, maar gelukkig komen er meer bloemen uit één plant. Vergeleken met andere cactussen mag de *Lobivia* royaal water hebben in het groeiseizoen. Als het warm is mag u hem ook wel eens een plensje water over zijn kop gieten. Liefst regenwater gebruiken, want aan veel kalkzouten heeft *Lobivia* een hekel. Voor de rust geleidelijk minder gaan gieten en vanaf eind oktober vrijwel helemaal droog houden. De winterrust wordt bij voorkeur doorgebracht in de koude kas, waar een temperatuur tussen 5 en 10 °C heerst. Heeft u geen koude kas dan voldoet een lichte plek in een onverwarmd logeervertrek of een vorstvrije garage ook. Is het weer zonnig en vorstvrij, dan goed luchten.
In maart gaan we geleidelijk de watergift opvoeren. Verpot de kleinere planten ieder jaar in een mengsel van 70% standaardpotgrond en 30% perlite en in plastic potjes. Potscherven zorgen voor een goede drainage. Oudere exemplaren hoeft u niet elk jaar te verpotten. Mest ze dan in de zomer iedere drie weken bij.
Vermeerdering. Via uitlopers, stek of zaad, dat bij 20-25 °C goed kiemt.

V.l.n.r. achter *Mammillaria ortegae, M. zeilmanniana;* midden *M. bocasana;* voor *M. gracilis* var. *fragilis* en *M. hahniana.*

Mammillaria

Van de ruim 200 soorten is het grootste deel inheems in Mexico, maar ze komen ook in het zuidelijk deel van de Verenigde Staten en op de Westindische eilanden voor. Als ze jong zijn hebben ze een bolvorm, later groeien ze ton- tot zuilvormig uit. De bloemen staan vaak in een cirkel boven op het cactuslichaam; later kan zich daar dan een leuke krans van vruchtjes vormen.
Verzorging. In de late herfst en winter hoort *Mammillaria* in de koude kas een winterrust bij 5-10 °C door te maken. Dit zal de bloei in het komende jaar bevorderen en de cactussen beter tegen insektenaantastingen bestand doen zijn. Houd de cacteeën droog, zonder ze natuurlijk bij warm weer gevaar voor uitdroging te laten lopen. In het voorjaar geleidelijk meer water geven, maar erg oppassen dat er geen water op het cactuslichaam blijft staan. Daarom is van onderen water geven het best. Zet de potjes in een ondiepe bak met water en laat ze een uurtje drinken. Die handeling moet u iedere week een keer herhalen. Eens in de maand aan dit water wat cactusvoedsel toevoegen. In verband met kalkschade regenwater of onthard water nemen.
In het vroege voorjaar moet u deze cactussen eerst nog even tegen het allerfelste zonlicht beschermen. De meeste soorten verdragen de volle zon in het late voorjaar en in de zomer wel, alleen met de lichtgroene, wat gevoeliger soorten moet u oppassen, want die verlangen ook in de zomer een licht beschaduwde plaats. Een winterbloeier als *Mammillaria plumosa* wil 's winters niet in de koude kas. Zet hem enkele graden warmer. Verpot in de lente in standaardpotgrond en perlite, 1:1.
Vermeerdering. Zaai onder glas bij 20-25 °C bodemtemperatuur. Stekken eerst laten indrogen alvorens te planten. Enten is tamelijk ongebruikelijk.

V.l.n.r. *Notocactus scopa, N. haselbergii;* voor *N. concinnus, N. tabularis, N. proliferus.*

Notocactus

We kunnen deze cactussen in het wild op rotshellingen vinden in landen als Brazilië, Argentinië, Paraguay en Uruguay. Ook dit is weer een makkelijk te verzorgen en snel bloeiende groep cactussen.

Verzorging. De *Notocactus* heeft minder behoefte aan een koele overwinteringsperiode dan de meeste andere cacteeën. De gematigde kas is een betere standplaats dan de koude kas en in huis is hij ook makkelijker te houden. De minimum-wintertemperatuur is 10 °C. Voorts is dit niet zo'n zonaanbidder als zijn familieleden. In het vroege voorjaar moet u zeker tegen felle zonnestralen schermen en een half beschaduwde plaats in de zomer is voldoende licht om deze cactus te laten bloeien. Een vensterbank op het zuidoosten of zuidwesten is zeer geschikt.

Een ander punt waarop de *Notocactus* zich van veel van zijn familieleden onderscheidt is zijn waterbehoefte. Houd de potgrond in de zomer steeds matig vochtig met regenwater. In de winter moet de grond iets minder droog gehouden worden dan bij de rest van uw cacteeëncollectie. Laat de watergift van de temperatuur afhangen. Van mei tot september voegt u eenmaal in de drie weken cactusmest aan het gietwater toe. Matig hoge luchtvochtigheid handhaven.

Jonge planten ieder jaar in de lente verpotten. Zijn de cacteeën ouder dan drie jaar dan kunt u volstaan met een oppotbeurt in twee jaar. Als grondmengsel kunt u gelijke delen standaardpotgrond en perlite gebruiken, maar ook een mengsel van een zelfde hoeveelheid klei, bladaarde en scherp zand. Zorg voor een goede drainage.

Vermeerdering. Zaai in maart bij 21 °C onder glas. Spruitende soorten kunnen gestekt of geënt worden. De stekken een paar dagen laten indrogen voor u ze oppot.

V.l.n.r. *Opuntia phaeacantha, O. cardiosperma, O. clavaroides, O. spegazzinii* en *O. subulata.*

Opuntia (Vijgcactus)

Er bestaan meer dan 200 soorten vijgcactussen, die alle uit Noord- en Zuid-Amerika afkomstig zijn. Om te zien zijn ze heel apart en om aan te raken ook. Behalve de gewone doorns, waar je meestal wel voor uitkijkt, zitten er op de areolen nog kleine bosjes stekeltjes-met-een-weerhaakje: de glochiden. En als je die in je vingers krijgt heb je ze er voorlopig nog niet uit.
Verzorging. Vijgcactussen staan graag warm en zonnig in de zomer, buiten of op de vensterbank, dat kan allebei. Sommige soorten zullen op onze breedtegraad geen bloemen vormen omdat de lichtintensiteit te gering is. Meestal is een koele, droge en vorstvrije overwinteringsruimte, zoals een koude kas, serre of ongebruikte logeerkamer gewenst, maar enkele soorten zijn winterhard en verdragen een overwintering buiten mits hun standplaats heel goed gedraineerd is. Voorbeelden hiervan zijn *Opuntia phaecantha, O. erinacea, O. humifusa* en *O. polyacantha.*
De meeste *Opuntia*'s hebben platte leden, waarin niet zoveel vocht opgeslagen kan worden als in andere cactuslichamen. Daarom moeten ze zelfs 's winters af en toe een kleine watergift ontvangen. Houdt u de vijgcactus 's winters in de warme kamer, dan matig gieten. Leidingwater voldoet goed. In de zomer eenmaal in de drie weken bijvoeden met de speciale cactusvoeding.
In de lente verpotten. De soorten met platte schijven zijn het sterkst en die kunt u in standaardpotgrond zetten. De andere vijgcactussen zet u in speciaal cactusmengsel. Zorg te allen tijde voor een optimale drainage.
Vermeerdering. Snijd een schijf of lid af, laat dit een paar dagen indrogen en zet het dan in een zanderig mengsel. Zaad neemt soms wel een jaar om te kiemen!

V.l.n.r. *Parodia catamarcensis, P. aureihamata, P. aureispina, P. uhligiana, P. penicillata.*

Parodia

Net zoals de meeste andere cacteeën komen ook de *Parodia*'s oorspronkelijk uit Zuid-Amerika, en wel uit Argentinië, Bolivia, Brazilië en Paraguay. Er bestaan zo'n 40 soorten, die op jonge leeftijd bolvormig zijn en later tot zuilvormen uit kunnen groeien. Een voordeel is dat ze al op jonge leeftijd mooie en grote bloemen produceren, maar u moet geen snelle groei verwachten.
Verzorging. Voor een rijke bloei is een koele overwinteringsperiode wel absoluut noodzakelijk. De beste wintertemperatuur ligt bij 8-12 °C. Als u *Parodia* volkomen droog houdt mag u ze ook een plekje bij de cacteeën in de koude kas geven, waar de temperatuur tot 5 °C zakt. In de zomer volle zon geven; of dat nu in de kas of op de vensterbank is maakt niet uit.
Houd *Parodia* in de zomer matig vochtig met lauwwarm regenwater. Omdat de wortelhals een regelmatige watergift boven op de potgrond niet zo goed verdraagt doet u er goed aan deze cactus van onderen water te geven. Eenmaal in de drie weken voegt u aan het water wat speciale, stikstofarme cactusmest toe.
In de lente verpotten in plastic potjes en een grondmengsel dat voor de helft uit standaardpotgrond en voor de andere helft uit perlite bestaat.
Vermeerdering. Omdat de meeste soorten geen zijscheuten maken is stekken vaak een moeilijke opgave. Vandaar dat meestal via zaad vermeerderd wordt. Dek het fijne zaad af met een laagje heel fijn grind om algengroei te voorkomen en werk heel steriel. De kieming gaat meestal vrij snel, maar de zaailingen groeien heel langzaam. Na een maand of vier kunnen ze wel geënt worden. Het eerste jaar moet u tegen felle zon schermen.

V.l.n.r. *Rebutia tarvitensis, R. vatteri, R. albiareolata, R. kupperana, R. scarlettea.*

Rebutia

Over het algemeen blijven *Rebutia*'s kleine cactussen met een plat-kogelvormig lichaam. Ze maken veel zijscheuten en bloeien al op jeugdige leeftijd met grote overgave. Al deze actie maakt ze tot veelverkochte cactussen. Oorspronkelijk komen de 50 soorten uit Noord-Argentinië en het aangrenzende deel van Bolivia, waar ze tot op grote hoogten groeien.
Verzorging. Op een zonnige vensterbank of in een ongeschermd kasje is het voor *Rebutia* goed toeven. De allersterkste soorten kunnen wel enige schaduw verdragen, maar dit resulteert toch wel in een minder aantrekkelijk uiterlijk. De doornen kleuren bij voorbeeld minder mooi. In de zomer voor een matige luchtvochtigheid en watergift zorgen. Staan *Rebutia*'s in de zomer te droog, dan kunnen spint en wolluis optreden. Tegen de herfst gaat u geleidelijk minder gieten, en vanaf november laat u de winterrust beginnen en houdt u ze helemaal droog bij minimaal 5 °C.
Als de eerste knoppen in het voorjaar verschijnen gaat u weer wat water geven; vooral niet te veel in het begin. Als de temperaturen oplopen, dan ook wat meer water toedienen. In de zomer kunt u het wel wagen ze over de kop te sproeien. Dat verhoogt dan ook meteen de luchtvochtigheid. Iedere drie weken voegt u aan het gietwater wat cactusvoedsel van normale concentratie toe.
In de lente verpotten in een mengsel van gelijke delen standaardpotgrond en perlite. Neem niet te kleine potten en draineer goed.
Vermeerdering. Snijd spruiten aan de basis af, laat ze een paar dagen indrogen en zet ze in een zanderig mengsel. Enten wordt meestal niet toegepast omdat *Rebutia* het op eigen wortel goed doet. Zaad wordt makkelijk gevormd en kiemt goed.

Andere succulenten

Met deze titel bedoelen we succulenten uitgezonderd cactussen, omdat die reeds op de voorgaande bladzijden besproken werden. In deze categorie vallen planten, waarvan de stengels en de bladeren gewoonlijk een vlezig uiterlijk hebben en reservevocht op kunnen slaan, zodat ze ook moeilijke – droge – tijden overleven. Soms is het vocht alleen in de bladeren opgeslagen, soms alleen in de stengels, maar vaak in beide. Bij veel vetplanten zijn de bladeren in rozetten om de stengels geplaatst. Behalve hun aparte groeiwijze en vorm zijn ook de bloemen heel aardig en soms prachtig fel gekleurd. Mede hierom zijn het echte liefhebbers- en verzamelaarsplanten. Van geslachten als *Aloë, Crassula, Euphorbia, Sedum* en *Senecio* zijn vele honderden soorten bekend, waardoor collectioneurs gefascineerd aan het vergaren slaan.
Twee heel belangrijke families waaronder een groot aantal succulentengeslachten vallen, zijn de lelieachtigen (*Aloë, Gasteria, Haworthia*) en de *Crassula*-achtigen (*Crassula, Echeveria, Kalanchoë, Sedum*).
Net als de andere planten met reserveorganen hebben vetplanten een rustperiode nodig, die vrijwel altijd in de winter valt. Neemt u dus een vetplant in uw huisgezin op, dan moet u van te voren bedenken of u een geschikte overwinteringsplaats voor hem hebt. Het meest ideale rustoord is de cactuskas, maar als u die niet heeft, geen nood: een vorstvrije garage, schuur of koel slaapvertrek voldoet ook, mits er voldoende licht is. Tijdens deze koele periode – de minimumtemperatuur ligt meestal bij 5 °C, in enkele gevallen wat hoger – komt de stofwisseling bijna geheel tot stilstand en worden bloemknoppen voor de komende periode aangelegd. De sterke vetplanten die u in de kamer overwintert zullen dus over het algemeen minder rijk bloeien, terwijl ze ook veel gevoeliger zijn voor dierlijke aantastingen. Toch sneuvelen de meeste vetplanten niet door dierlijke parasieten maar door rot. Dit kan simpelweg komen door een te hoge watergift, maar ook door een combinatie van lage temperatuur met een te hoge (lucht)vochtigheid. Hoe koeler de vetplanten staan, des te minder water geeft u. Als ze enige tijd geheel droog staan zullen ze iets gaan schrompelen, maar dat is niet erg. Als de zon de temperatuur in de overwinteringsplaats erg doet oplopen, dan moet u luchten.
In het voorjaar verpotten in een zeer doorlatend, maar vochthoudend mengsel, zoals standaardpotgrond met 30-50 % perlite, waar in individuele gevallen nog klei of bladaarde aan toegevoegd kan worden. Onder in de potten – als u oppast met gieten kunt u het best plastic potten gebruiken – brengt u een drainagelaag van potscherven aan.
Het merendeel van de vetplanten staat graag op een lichte, zonnige plaats, maar er zijn een paar planten die liever in de lichte schaduw staan. De precieze eisen vindt u onder de plantbeschrijvingen. Wit berijpte soorten in het voorjaar schermen tegen de felste zonnestralen. Om bij voorbeeld bij rood-overlopen bladeren een nog sprekender bladkleur te verkrijgen is volle zon gewenst. In de zomer kunnen veel soorten buiten staan – mits het geen weken achtereen slecht weer is, want dan rotten ze – of op een luchtige plaats binnen. De grotere *Agave*'s zijn echte kuipplanten: 's zomers op het terras of in de tuin en 's winters in de koude kas of orangerie.
Tijdens de groei kunt u bijmesten met een stikstofarme mest. Meestal stoppen we daar begin augustus mee, zodat de planten voor de winter uit kunnen rijpen.
Het is leuk en betrekkelijk eenvoudig om vetplanten te vermeerderen. Sommige soorten maken broedplantjes die vaak vanzelf afvallen en in de een of andere bloempot terechtkomen en daar wortel schieten. Als u stekken of uitlopers afsnijdt, dan eerst enige tijd laten indrogen alvorens u ze in een zanderig mengsel laat bewortelen. Zaaien levert meestal geen problemen op, hoewel het soms lang kan duren eer u planten van toonbare afmetingen hebt. De *Senecio mikanoides* bewortelt zelfs als u stekjes in een flesje water zet.

V.l.n.r. achter *Agave attenuata* en *A. americana*, vooraan *A. fernandi-regis, A. filifera* en *A. americana* 'Mediopicta'.

Agave

Oorspronkelijk komen de agaven uit de woestijngebieden van Amerika, maar tegenwoordig vinden we ze ook verwilderd in de landen rond de Middellandse Zee. Daar kunt u ze heel indrukwekkend zien bloeien. In Nederland is de bloei een zeldzaamheid, vandaar dat wij de *Agave* om zijn mooie en aparte verschijningsvorm kweken.
Verzorging. Grote *Agave*'s zijn zeer decoratieve kuipplanten. In de herfst haalt u ze binnen en overwintert ze in een zo licht mogelijke, koele, maar vorstvrije ruimte. Kleinere exemplaren kunnen we goed op de vensterbank kwijt, maar ook zij mogen van eind mei tot oktober buiten staan. Overwinteren bij 4-6 °C, op een lichte, luchtige en droge plek. De watergift is afhankelijk van de temperatuur en de hoeveelheid licht. Weinig licht – geen water; veel licht – af en toe een beetje water. In de zomer, als de planten op een zonnige en warme plaats staan, ruim gieten en eens in de twee weken voedsel in normale concentratie toedienen.
Na de rustperiode gaan we verpotten. Verwijder voorzichtig de oude aarde en eventuele dode wortels. Doe wat potscherven onder in de pot om een goede drainage te waarborgen. Het grondmengsel kan bestaan uit twee delen verpakte potgrond en 1 deel scherp zand. Na het oppotten de watergift langzaam opvoeren. Bij *Agave* kunt u gerust hard water gebruiken. Grote exemplaren verpot u iedere drie jaar, de kleintjes jaarlijks.
Vermeerdering. Het afsnijden van jonge uitlopers, zo dicht mogelijk bij de moerplant, is de eenvoudigste methode. Laat de wond goed opdrogen voor u de stekjes in een zanderig mengsel oppot. Zaaien is ook mogelijk, maar het is een lange weg eer u plantjes van redelijke afmetingen hebt. Maar u oogst dan ook extra voldoening.

V.l.n.r. achter *Aloë melanacantha* en *A. ferox*, vooraan *A. variegata*, *A. concinna* en *A. barbadensis*.

Aloë

Het bittere sap van de *Aloë* werkt pijnstillend en laxerend, vandaar de naam, want het Griekse *aloè* staat voor bitter. De 400 soorten komen voor in grote delen van Afrika, op Madagascar en in Zuidwest-Azië. Na de bloei sterven de rozetten niet af, dat is een van de verschillen met de hiernaast afgebeelde *Agave*.

Verzorging. Het hele jaar door geldt: hoe lichter de standplaats, hoe beter. In de zomer op een zonnige, beschutte plaats buiten – als u ze in de kamer laat, kom dan tegemoet aan hun verlangen naar frisse lucht – en 's winters een lichte en koele plek, bij voorkeur in de koude kas. Minimum-wintertemperatuur 4-6 °C. Deze koele periode bevordert de bloemvorming. Zeer spaarzaam gieten met lauw water. Blijft de *Aloë* in de kamer overwinteren, dan een- à tweemaal per week water geven. Probeer altijd van onderen vocht toe te dienen. Giet u op de aarde dan blijft de bladvoet soms te lang vochtig en kan rotting optreden. Staat de *Aloë* in het warme seizoen buiten dan is een bui regen op zijn tijd voldoende. In een droogteperiode moet u de taak van de regen overnemen. Droge kamerlucht is nooit een bezwaar: *Aloë* gedijt prima bij een lage luchtvochtigheid. Tijdens de groei iedere veertien dagen normaal geconcentreerd plantenvoedsel toedienen.

Om de twee à drie jaar verpotten in een mengsel van gelijke delen klei en bladaarde, waar nog wat extra zand of perlite aan toegevoegd wordt om een goede drainage te bevorderen.

Vermeerdering. De eenvoudigste methode is het afnemen van jonge spruiten van de moederplant. Snijd ze voorzichtig en met zóveel mogelijk wortels af, laat ze indrogen alvorens u ze in een zanderig mengsel oppot. Zaai in maart bij 21 °C.

V.l.n.r. achter *Crassula cephalophora, C. portulacea* en *C. lycopodioides,* voor *C. falcata* en *C. conjuncta.*

Crassula

Dit geslacht kent wel 300 soorten, waarvan het grootste deel oorspronkelijk alleen in de Kaapprovincie voorkwam. Naast de soorten die we in tropisch Afrika en op Madagascar kunnen vinden, zijn er een paar die als water- en moerasplant over de hele wereld verspreid zijn. De dikke en vlezige bladeren zijn zeer karakteristiek en hebben ook aan de benaming bijgedragen: het Latijnse *crassus* duidt op dik of vlezig. Gezien de grote variatie in groeivormen is dit echt een geslacht waar de verzamelaar zijn hart aan kan ophalen.

Verzorging. Om een optimale bladkleur te verkrijgen hebben de planten volle zon nodig. Een uitzondering vormen de wit berijpte en lichtgroene soorten, die graag wat geschermd worden als de zon heel fel schijnt. 's Zomers mogen *Crassula*'s buiten staan, maar u moet wel vermijden dat ze veel regen over zich heen krijgen. Spaarzaam gieten en slechts eenmaal per maand voeden met een oplossing die minder geconcentreerd is dan op de verpakking aangegeven staat.

In oktober haalt u de *Crassula*'s naar binnen. In de winter verdient het aanbeveling om ze een lichte, koele rustperiode bij 6-10 °C door te laten maken. In de verwarmde kamer treedt bladverlies en een spichtige, langgerekte groei op, terwijl luis de verzwakte planten eerder aantast. Bij een te hoge luchtvochtigheid kan meeldauw toeslaan. *Crassula*'s die bij 5 °C overwinteren niet gieten, tenzij ze te klein zijn om voor een hele rustperiode water in hun bladeren op te slaan. De bladeren mogen niet verschrompelen. In de lente oppotten in een mengsel van bladaarde, klei en zand, in meer brede dan diepe potten. De eerste tijd heel weinig gieten.

Vermeerdering. Uit zaad, via broedplantjes en door blad- of scheutstek.

V.l.n.r. achter *Echeveria gilva*, *E. titubans* en *E.* × *derosa*, vooraan *E. haageana* en *E. ciliaris*.

Echeveria

De natuurlijke standplaats van *Echeveria* is rotsachtig, droog en in de volle zon. In het wild zijn deze vetplanten verspreid over een gebied dat zich uitstrekt van Californië tot Zuid-Peru. Van de 150 soorten groeit het grootste deel in Mexico.
Verzorging. Om de mooiste bladkleuring en de meeste bloemstengels te verkrijgen geven we de *Echeveria* het hele jaar door zoveel mogelijk licht en in de zomer volle zon. Van mei tot eind september mogen deze planten in de tuin ingegraven worden. In huis of in de koude kas zullen ze het ook goed doen, mits de standplaats maar luchtig en licht is. Een koele overwintering bij 5-10 °C is gewenst. De winterbloeiende soorten zet u gewoon in de kamer, zodat u van de bloemen kunt genieten.
Tijdens de rust net zoveel water geven dat de bladen niet verschrompelen. Als de *Echeveria* aan de groei is matig gieten en aan het gietwater eenmaal per maand cactusmest van normale concentratie toedienen. Nooit water op de bladeren gieten, want dat kan de waslaag beschadigen en als er langdurig water in het rozet blijft staan kan rot optreden. Laat u de aarde tussen twee gietbeurten niet opdrogen, dan moet u oppassen voor wortelrot. De moraal van dit verhaal is: beter te weinig gieten dan te veel. Droge kamerlucht is geen enkel probleem, want de *Echeveria* prefereert een lage luchtvochtigheid. Ieder voorjaar verpotten we de jonge planten in een mengsel van verpakte potgrond en scherp zand of perlite. Zorg voor een uitstekende drainage. Oudere exemplaren eenmaal in de twee à drie jaar verpotten.
Vermeerdering. Zijn oudere planten wat kaal geworden, dan stekken we de kop. Laat hem twee dagen indrogen en zet hem dan in scherp zand. Uitlopers en bladeren kunnen ook als stek dienen. Vermeerderen via zaad is ook mogelijk.

V.l.n.r. *Euphorbia bubalina, E. xylophylloides, E. fournierii* en *E. milii.*

Euphorbia (Wolfsmelk)

Tot dit enorme geslacht behoren wel 2000 soorten. Onder de bloeiende planten bespraken we de kerstster. Deze twee bladzijden gaan over de succulente soorten, die voor het grootste gedeelte uit Afrika afkomstig zijn. Een van de bekendste wolfsmelken, die al heel lang onze interieurs siert, is de Christusdoorn, *Euphorbia milii,* die uit Madagascar stamt. Hij verlangt een iets andere behandeling dan de andere succulente soorten. Het melksap van *Euphorbia*'s is giftig en irriteert de huid. Daarom is het verstandig om bij verpotten of verplaatsen handschoenen te dragen. De verscheidenheid in groei- en bloeiwijzen en het grote aantal soorten nodigen tot verzamelen.
Verzorging. De Christusdoorn mag het hele jaar door in de kamer blijven staan. De lage luchtvochtigheid in de wintermaanden schaadt hem geenszins, sterker nog, hij vindt een droge atmosfeer ideaal. Deze ijzersterke plant doet het prima voor een zonnig zuidvenster. Verplaats hem zo min mogelijk, om bladval te voorkomen. Tegen het eind van de winter, als de zon aan kracht wint, gaat de Christusdoorn bloeien. Geef hem regelmatig water, zó dat de wortelkluit matig vochtig blijft. Als u hem een poosje vergeet laat hij zijn blaadjes vallen. Zet hem dan iets koeler en geef geleidelijk wat meer water – de blaadjes zullen zich spoedig weer ontwikkelen.
Van april tot september voegt u aan het gietwater normaal geconcentreerd cactusvoedsel toe. Jonge planten ieder jaar of om het jaar verpotten in een zanderig en humeus mengsel. Oudere, flink uit de kluiten gewassen Christusdoorns kunnen wel drie à vier jaar in dezelfde grond gedijen.
De verzorging van andere *Euphorbia*'s, of ze nu meer op cactussen of op vetplanten lijken, verschilt van de Christusdoorn, vooral als we kijken naar de temperatuur.

V.l.n.r. *Euphorbia horrida, E. caput-medusae, E. tirucalli* en *E. grandicornis.*

Euphorbia (Wolfsmelk)(vervolg)

Soorten die uit warme, tropische gebieden komen verlangen winterrust bij 12-15 °C. Voorbeelden hiervan zijn *E. abyssinica* en *E. tirucalli.* De andere houden we bij 8-10 °C, hoewel de soorten die een cactusachtig uiterlijk hebben meestal wel 5 °C verdragen. Hoe koeler de planten staan, des te minder water u mag geven, terwijl hun lichtbehoefte juist groter is.

Van maart tot augustus valt de groeiperiode, waarin ze een zonnige, luchtige en warme standplaats eisen. Altijd spaarzaam gieten en van mei tot half augustus cactusvoeding aan het gietwater toevoegen. Tijdens de volgende rusttijd vallen de nu gevormde blaadjes jammer genoeg af. De succulenten verpot u in cactusaarde of verpakte potgrond met extra zand. Een mengsel van gelijke delen klei en bladaarde wil ook wel goede resultaten geven. Na het verpotten de eerste drie weken geen water toedienen om beschadigde wortels een kans op herstel te geven en rot te voorkomen. In de zomermaanden kunt u *Euphorbia*'s toch beter binnen laten staan, want ons koude regenwater verdragen ze niet goed.

Vermeerdering. De Christusdoorn kunt u voortkweken uit zaad of via stek. Kiest u voor de laatste methode, neem dan oudere, minder sappige, topscheuten en laat ze een dag indrogen alvorens u ze in een mengsel van zand en turf zet. Om mooi vertakte planten te krijgen moet u de bewortelde stekjes toppen.

Voor de andere soorten geldt dat zaaien over het algemeen makkelijker gaat dan stekken. Bij sommige *Euphorbia*'s knallen de zaden uit hun zaaddoos en vallen in andere potten, waar u de kiemplantjes al gauw kunt herkennen. Om bij stekken 'bloeden' te voorkomen, de wonden afdekken met houtskoolpoeder.

V.l.n.r. *Gasteria verrucosa*, *G. caespitosa*, *G. disticha* en *G. hybrida*.

Gasteria (Hoornbloem-aloë)

Dit geslacht hoort net als *Aloë* en *Haworthia* tot de lelieachtigen. We kennen ruim zeventig *Gasteria*'s, die uit Zuidwest-Afrika en de Kaapprovincie afkomstig zijn. De hoornbloem-aloë groeit sterker dan de *Haworthia*, en van de *Aloë* kunt u hem onderscheiden door op de bladrand te letten: is de bladrand ongetand, dan heeft u met een *Gasteria* te doen. Deze bladsucculenten zijn makkelijke kamerplanten, die behalve aantrekkelijke bladrozetten ook sierlijke bloempjes voortbrengen.
Verzorging. *Gasteria*'s verdragen lichte schaduw, maar kunnen ook heel goed tegen direct zonlicht. In de zomer mogen ze de tuin in, maar in de vensterbank van uw woonkamer gedijen ze net zo goed. Zelfs in gematigde of koele vertrekken is de *Gasteria* toepasbaar. Wilt u bloemen zien, dan moet een rustperiode worden ingelast. Van oktober tot maart houdt u de planten tussen 6 en 12 °C. De minimum-wintertemperatuur is 5 °C. Gedurende deze koele periode zeer weinig gieten, afhankelijk van het kwikniveau. Te veel water resulteert in rot. Na de rust gaan we geleidelijk weer meer gieten en tijdens de groei voegt u iedere veertien dagen cactusvoeding aan het gietwater toe: concentratie driemaal zwakker dan op de verpakking staat.
Houdt u de planten in de verwarmde kamer, dan een matige luchtvochtigheid verzorgen. Een te lage luchtvochtigheid kan in dit geval allerlei parasitaire aantastingen tot gevolg hebben. In de lente verpotten in een zwaar mengsel van klei, bladaarde en scherp zand.
Vermeerdering. Zaaien is mogelijk, maar u moet er rekening mee houden dat *Gasteria*'s snel bastaarderen. Scheuren is een makkelijke en veilige methode. Bladstekken enige dagen laten indrogen, dan pas in scherp zand steken.

V.l.n.r. *Haworthia rugosa, H. glabrata* en *H. attenuata* in de linker schaal. In de rechter schaal *H. cymbiformis, H. paynii* en *H. batesiana.*

Haworthia

Dit 160 soorten tellende geslacht is inheems in de Kaapprovincie. Enkele soorten verdienen aparte vermelding omdat ze vrijwel ondergronds leven. Slechts de venstertjes in de bladtoppen vangen licht op. Deze soorten moet u in een gematigde kas kweken. De *Haworthia*'s met ondoorzichtig blad zijn gemakkelijke kamerplanten.
Verzorging. De 'gewone' *Haworthia* groeit het best op een halfbeschaduwde plaats. Spaarzaam gieten, ook tijdens de groei. Eenmaal per maand kan aan het gietwater wat extra cactusvoeding worden toegevoegd. De rustperiode valt in de winter. Vanaf oktober houdt u de temperatuur op 10 à 12 °C en geeft u nauwelijks water en uiteraard geen mest meer. Dit voorkomt aantastingen in het volgende seizoen.
De soorten met venster hebben een heel andere verzorging nodig. Ze rusten juist in de zomer en gaan in oktober groeien. Daarom mag in de winter het kwik niet onder 16 °C zakken. Gedurende deze periode spaarzaam gieten. Om voldoende licht op te vangen is een standplaats in de volle zon noodzakelijk. Als de planten in de zomer in rust zijn wordt nauwelijks gegoten. Als u de temperatuur en de rusttijd goed in het oog houdt is het ook wel mogelijk de vensterplantjes in de woonkamer te houden. Als potgrond prefereren ze een mengsel van potgrond en perlite met een extra dosis klei of leem erdoor. De soorten met ondoorzichtig blad zetten we gewoon in cactusgrond. Gebruik plastic potten en zorg voor een goede waterafvoer.
Vermeerdering. In het voorjaar kunt u zaaien bij een temperatuur van 21 °C. Van de soorten die zijscheuten maken kunt u in juni de jonge rozetjes afnemen. Laat ze een paar dagen drogen voordat u ze in scherp zand steekt. Bladstek wordt weinig toegepast. Ook bladstekken eerst in laten drogen.

V.l.n.r. tweemaal *K. manginii, K. blossfeldiana* 'Yellow Darling' en *K. blossfeldiana* 'Tom Thumb', *K. uniflora, K. daigremontiana* en *K. tomentosa.*

Kalanchoë

Binnen dit geslacht zijn 200 soorten verenigd, die qua uiterlijk en verzorging zeer verschillend zijn. De broedplanten zoals *K. daigremontiana* en *K. tubiflora* behoorden vroeger tot het geslacht *Bryophyllum*. De bekendste soort is *K. blossfeldiana*. Deze kortedagplant wordt door de kwekers in bloei gebracht door kunstmatige verduistering.

Verzorging. *K. blossfeldiana* verlangt in lente en zomer een heel lichte standplaats. Wel schermen tegen de felste zon, anders kleurt het blad roodachtig. Om bloei te krijgen vanaf eind augustus verduisteren zodat zijn daglengte 9 à 10 uur wordt. De eerste bloemknoppen verwijderen ter verkrijging van een rijkere bloei. Na een maand of drie staan ze in volle bloei. 's Winters een minimum van 16 °C aanhouden.

In de zomer matig vochtig houden en eenmaal per drie weken voedsel geven. In de lente verpotten in standaardpotgrond met een derde deel extra klei.

Broedplanten geven we een zonnige plaats en liefst een koele overwintering met minima van 5 °C. Houdt u ze in de kamer dan heeft dat alleen als nadeel dat ze wat slungelig uitgroeien. Maar van de op de aarde vallende broedplantjes kweekt u zo weer een nieuw exemplaar. In de zomer spaarzaam gieten en 's winters afhankelijk van de temperatuur. Bij 5 °C kunt u ze vrijwel droog houden. Wilt u gedrongen planten, dan niet voeden. Verpotten in standaardpotgrond.

Hoogsucculente soorten, zoals de pandaplant, *K. tomentosa*, verlangen weer een iets andere verzorging. Winterrust bij 5 à 10 °C en cactusmest en -potgrond.

Vermeerdering. *K. blossfeldiana* uit zaad of scheutstek. De hoogsucculenten via blad- of kopstek, die u eerst laat indrogen en dan oppot in scherp zand.

V.l.n.r. *Sedum griseum, S. pachyphyllum, S. stahlii* en *S. morganianum.*

Sedum (Vetkruid)

Een twintigtal *Sedum*'s, vooral inheems in Mexico, worden gebruikt als kamerplant. Er bestaan wel 500 soorten, vandaar dat het een aantrekkelijk geslacht voor verzamelaars is.
Verzorging. Vetkruid mag in de volle zon staan. Sterker nog, als u de bladkleur volledig tot zijn recht wilt laten komen zijn volle zon, weinig voedsel en een lage overwinteringstemperatuur noodzakelijk. Vanaf oktober laat u de *Sedum* rusten.
U kunt de planten in de koude kas bij de cactussen zetten, want de wintertemperatuur mag tot 5 °C dalen. Bij 5 °C hoeft u nauwelijks meer te gieten. Het is niet erg als de blaadjes wat schrompelen, dat doen ze op de natuurlijke standplaatsen ook. Het vlezige blad bevat zoveel vocht, dat *Sedum*'s het bij lage temperaturen wel enige maanden zonder water kunnen stellen. Loopt het kwik iets op, giet dan af en toe wat lauw water langs de potrand. Enkele soorten verdragen een overwintering in de kamer, dan geeft u dus iets meer vocht. Als u giet, liefst lauwwarm water gebruiken. Als u regelmatig verpot is voeden niet nodig. Rot is meestal het gevolg van te veel vocht bij een lage temperatuur. Droge kamerlucht wordt uitstekend verdragen.
In het voorjaar verpotten in doorlatende, humeuze en ook kalkhoudende grond. Hiervoor kunt u cactusaarde gebruiken, maar ook een eigenhandig gemaakt mengsel van bladaarde, klei of leem, oude koemest en scherp zand of perlite. Zorg voor een heel goede waterafvoer.
Vermeerdering. In het vroege voorjaar kunt u zaaien bij 15-18 °C. Stekken is de hele zomer door mogelijk. Blad- en stengelstek eerst laten indrogen voor u ze in een mengsel van zand en turf steekt.

V.l.n.r. achter *Senecio serpens, S. haworthii*, voor *S. citriformis, S. articulatus, S. macroglossus* 'Variegatum' en *S. sedrorum*.

Senecio (Kruiskruid)

Over de hele wereld kunnen we leden van dit immens grote geslacht, dat 1300 soorten telt, vinden. Op blz. 45 staat *Senecio cruentus*, ook wel *Cineraria* genoemd. De meeste soorten vallen echter onder de succulenten en horen daarom op deze bladzijde thuis.
Verzorging. Vrijwel al deze vetplanten verlangen volle zon en een koele overwintering. Een soort die wat meer schaduw verdraagt is *S. mikanioides*. Dat is trouwens helemaal een buitenbeentje. Hij verlangt in de zomer een koelere en vochtiger omgeving dan de andere *Senecio*'s. In een warm en droog vertrek voelt hij zich niet gelukkig; kweek hem liever in de gematigde kas. In de zomer houdt u de wortelkluit matig vochtig en voegt aan het gietwater iedere veertien dagen een normaal geconcentreerde voedingsoplossing toe. Als grondmengsel is standaardpotgrond bijzonder geschikt.
De andere *Senecio*'s geeft u 's zomers weinig water en eventueel wat cactusvoedsel. Als u ieder jaar verpot kunt u die bijvoeding echter wel achterwege laten. Maak een goed doorlatend mengsel of gebruik cactusgrond. Zorg altijd voor een goede waterafvoer, want stagnerend water veroorzaakt gemakkelijk rot, vooral bij lage temperaturen. De winterperiode kan in de kamer doorgebracht worden, maar een koele overwintering, minima rond 10 °C, heeft de voorkeur. Dan weinig gieten, alleen als u ziet dat de blaadjes ineenschrompelen. Bij een koele overwintering worden de *Senecio*'s het volgende jaar minder snel aangetast door wol- en wortelluis.
Vermeerdering. In juni of juli bladstek nemen. Even in laten drogen voor u de stekjes in zand en turf zet. *S. mikanioides*-stekjes bewortelen zelfs op een flesje water.

Orchideeën

De orchideeën zijn bij ons vooral populair als lang houdbare snijbloemen en niet zozeer als kamerplanten. Bij onze oosterburen zullen we in veel meer huiskamers orchideeën op de vensterbank aantreffen. Natuurlijk zijn er een heleboel soorten die alleen in kasjes kunnen groeien en bloeien, maar er is toch een aantal orchideeën dat met wat extra attentie vrij makkelijk succesvol in de kamer gekweekt kan worden. Daartoe behoren de miniatuur-*Cymbidium*'s, *Epidendrum*, *Paphiopedilum* en *Phalaenopsis*, en als laatste genoemd maar zeker een der sterkste: *Odontoglossum*.

De meeste orchideeën stammen uit Aziatische tropenlanden, waar ze in de koele, gematigde of warme zones groeien. In ons klimaat komen ze dan achtereenvolgens in de koude, gematigde of warme kas terecht, terwijl ook enkele tussenvormen bestaan. Voor de kamercultuur gebruiken we liefst orchideeën die in het land van herkomst in gematigde streken groeien. Beschikt u over een warme kas of over een bloemenvenster dan heeft u al een veel ruimere keuze. Denkt u erom dat orchideeën zelden direct zonlicht verdragen, zodat het kasje zwaar geschermd moet kunnen worden en ook in het bloemenvenster de zon niet te veel mag schijnen?

Bij de orchideeën onderscheiden we twee soorten leefwijzen: de terrestrische soorten wortelen in de aarde, en de epifytische groeien in en op bomen. Deze laatste groep is voorzien van reserveorganen, schijnknollen of pseudobulben genaamd. De bulben zijn soms sterk in het oog lopend; bij andere soorten is alleen de wortelstok iets verdikt. Het zijn juist de epifytische orchideeën die het meest door de amateur gekweekt worden. Samen met bij voorbeeld *Bromelia*'s kunnen we ze een epifytenboom laten begroeien, wat een aardig oerwoudachtig schouwspel oplevert.

In de kamer zetten we orchideeën altijd voor een venster op het oosten of noordoosten, zodat ze geen last van directe en felle zonbestraling hebben.

Gieten uitsluitend met lauwwarm en onthard of gedemineraliseerd water. Orchideeën die op blokjes varenwortel groeien krijgen water doordat u de blokjes regelmatig in lauw water doopt. Orchideeën met pseudobulben kennen een strenge rustperiode, waarin u het water geven bijna geheel moet staken. De temperatuurbehoefte in zo'n rusttijd loopt nogal uiteen, vandaar dat u beter even bij de afzonderlijke beschrijvingen kunt kijken. Sommige soorten zijn bladverliezend, andere behouden een gedeelte ofwel al hun blad. Tijdens de rust worden de nieuwe bloemknoppen aangelegd. Na de rust is de tijd voor verpotten aangebroken. U hoeft dat zeker bij grote exemplaren niet ieder jaar te doen; eenmaal in de twee à drie jaar is voldoende. Kijk de wortels goed na, nadat u de aarde voorzichtig verwijderd hebt. Dode of zieke wortels netjes afsnijden. Als grondmengsel gebruikt men veelal gehakte varenwortels en/of gehakt veenmos (sfagnum). Tegenwoordig wordt ook veel gebruik gemaakt van kleikorrels. Terrestrische orchideeën doen het goed in een mengsel van turfmolm, verteerd beukeblad en kleizodengrond. Zorg altijd voor een goede drainage door onder in de pot een dikke laag potscherven te leggen. Als een pot te veel water vasthoudt kan ook in lattenmandjes gekweekt worden, terwijl we veel orchideeën ook prima met koperdraad op blokjes varenwortel kunnen binden.

Vooral in het jaar van verpotten is het nauwelijks nodig om bij te mesten. Als u gaat bijvoeden altijd een zeer lage concentratie van de betreffende meststof toedienen. Omdat orchideeën in een grondmengsel met een lage pH willen groeien, moet er ook bemest worden met een kalkarme mest. Zowel kunstmest als organische mest voldoen. Probeer de luchtvochtigheid zo hoog mogelijk te houden door vaak te nevelen – nooit op de bloemen, want dan ontstaan vlekken – en door een verdamper te gebruiken. Spint slaat toe als de luchtvochtigheid te laag is.

Het vermeerderen via zaad verloopt wat ingewikkeld en wordt meestal alleen door gespecialiseerde bedrijven uitgevoerd. Zelf kunt u het beste scheuren. Een enkele soort laat zich ook gemakkelijk stekken.

Cymbidium-hybriden

Cymbidium

Deze orchideeën zijn vooral bekend omdat hun bloemen zo lang op water houdbaar zijn. Maar vooral de *Cymbidium*-minihybriden zijn ook zeer geschikt voor kamercultuur. Er bestaan zo'n 50 soorten *Cymbidium*, die een heel verschillende warmtebehoefte hebben. De koude-kas-orchideeën komen oorspronkelijk uit de hooggebergten van India tot Vietnam, de gematigde uit China, Taiwan en Japan en de warme-kas-soorten uit de Philippijnen en Indonesië. Voor kweek in de huiskamer gebruiken we soorten met een geringe warmtebehoefte.
Verzorging. Een standplaats niet te dicht op andere planten, waar u voldoende voor licht en frisse lucht kunt zorgen, is ideaal. Koude-kas-*Cymbidium*'s mogen van begin juni tot september buiten staan. De minimum-temperatuur is 8 °C. Vreest u dat het 's nachts kouder wordt, dan de planten binnen halen. Een halfbeschaduwde plaats in tuin of kamer verdient de voorkeur.
De overwintering van koude-kas-orchideeën moet koel zijn: 7-12 °C 's nachts en 13-16 °C overdag. Slechts zoveel gieten dat de pseudobulben niet schrompelen. Bij warm weer in de zomer rijkelijk gieten. Altijd zorgen dat de wortelkluit niet uitdroogt. Gebruik lauwwarm gietwater dat vrij is van zouten, pH 4-4,5. In het groeiseizoen iedere twee weken bijmesten met orchideeënvoeding. Voor de rustperiode gaat u geleidelijk minder gieten. Meestal kan volstaan worden met het handhaven van een matig hoge luchtvochtigheid.
Verpot eenmaal in de drie jaar in een mengsel van drie delen osmunda, twee delen sfagnum, twee delen denneschors en een deel beukeblad. Drainage is belangrijk.
Vermeerdering. De opkweek uit zaad is werk voor de kweker.

V.l.n.r. *Dendrobium* 'Jacqueline Thomas', *D. nobile* en *D. phalaenopsis* 'Lady Hamilton'.

Dendrobium

De naam is afgeleid van de Griekse woorden *dendron* = boom en *bios* = leven, wat aangeeft dat deze orchideeën epifytisch groeien. Van de 1000 soorten groeit het grootste deel in de Aziatische tropenlanden. Ook hier kennen we weer de driedeling naar groeigebied: soorten uit de hooglanden staan bij ons in de koude kas, orchideeën die in de laaglanden groeien hebben een warm kasklimaat nodig en de tussenliggende gebieden brengen orchideeën voor de gematigde kas voort.
Verzorging. Veel licht is noodzakelijk, maar tegen directe zonbestraling moet u schermen. Een sterke soort die tenminste tijdelijk in de kamer kan staan is *D. nobile*. Deze bladverliezende orchidee groeit normaliter in de gematigde kas en rust in de koude kas. Deze koele (10 °C) en absoluut droge rustperiode is een voorwaarde voor bloei in het volgende seizoen. Tijdens de groei houdt u de wortelkluit matig vochtig met lauwwarm en onthard water. Tijdens de luttele hittegolven die ons land kent geeft u rijkelijk water. Een voorbeeld van een bladhoudende soort die vrij sterk is: *D. thyrsiflorum*. Deze soort wenst het hele jaar iets hogere temperaturen dan *D. nobile*. In de winter geeft u wel, zij het spaarzaam, water.
In het algemeen geldt een overwinteringstemperatuur van 8-12 °C voor koude-kas-soorten. In de warme kas mag de temperatuur niet onder 16 °C dalen.
Tijdens de groei tweemaal per maand bijmesten, sterke groeiers normale concentratie, de andere een half zo sterke oplossing. In de lente verpotten in een mengsel van twee delen osmunda of beukewortel en een deel sfagnum. De kleinere soorten gedijen goed op varenblokjes.
Vermeerdering. Kort na de bloei scheuren en de jonge delen oppotten.

V.l.n.r. *Epidendrum cochleatum, E. radicans, E. fragrans* en *E. stenopetalum.*

Epidendrum

Het Griekse *epi* betekent op en *dendron* staat voor boom: een orchidee die op bomen leeft, en dus tot de epifyten behoort. De bloemen zijn meestal klein maar fijn en schitterend gekleurd. *Epidendrum* is een groot geslacht: tussen 500 en 1000 soorten, afkomstig uit tropisch en subtropisch Amerika.

Verzorging. De beste standplaats is eigenlijk een kasje of een bloemenvenster, maar met wat extra zorg en liefde kunt u in de kamer ook goede resultaten bereiken. Als u let op de habitus en daarbij de volgende vuistregel toepast, dan heeft u enig idee van de eisen die uw *Epidendrum* stelt. Orchideeën met langwerpige pseudobulben verlangen een koele omgeving en winterrust met een minimumtemperatuur van 8 °C. Planten met ronde tot eivormige schijnknollen hebben graag wat hogere temperaturen, zoals in gematigde kas of kamer. Ze houden ook winterrust. Soorten met bebladerde stammen groeien het best bij een gematigde tot hoge temperatuur en kennen geen rustperiode. Zet ze niet te dicht bij andere planten, want ze staan graag ruim. De minimum-wintertemperaturen voor gematigde en warme-kas-orchideeën zijn respectievelijk 12 en 18 °C.

Nog een paar regels die u wat houvast geven bij de verzorging: *Epidendrum*'s met harde schijnknollen rusten van november tot maart en krijgen daarbij nauwelijks water toegediend. Soorten met zachte schijnknollen en dikke, sappige stengels houden we het hele jaar door enigszins vochtig. Frisse lucht, veel licht, onthard gietwater en een vrij hoge luchtvochtigheid geven. Kweek ze in een mengsel van vier delen osmunda, twee delen sfagnum en een deel beukeblad.

Vermeerdering. Soorten met dikke stengels via stek, verder door delen en uit zaad.

V.l.n.r. *Paphiopedilum villosum, P. argus, P. solterianum, P. leeanum, P. lathamianum.*

Paphiopedilum (Venusschoentje)

Aan de schoenvormige lip van zijn bloem dankt de *Paphiopedilum*, letterlijk pantoffeltje van Venus, zijn naam. De 50 natuurlijke soorten komen overwegend in Zuidoost-Azië voor, waar ze terrestrisch groeien. Verzorgt u ze goed, dan zult u van deze orchideeën heel lang plezier hebben.
Verzorging. Grofweg kunnen we stellen dat er een groep is met egaal groen blad, die een gematigd klimaat prefereert en een groep met gevlekt blad, die in de warme kas wenst te staan. Maar soorten als *Paphiopedilum insigne* en *P. villosum* zijn koude-kas-orchideeën. *P. leeanum* houdt van temperaturen die tussen koud en gematigd liggen. De winterse minima voor de warme, gematigde en koude kas zijn respectievelijk 18 °C, 12 °C en 8 °C.
Venusschoentjes kennen geen echte rustperiode. Ze verlangen het hele jaar door een hoge luchtvochtigheid. Houd de wortelkluit matig vochtig met onthard water. Als in de winter de temperaturen iets lager liggen, giet u ook iets minder. *P. callosum* houdt u na het verpotten enkele weken geheel droog om de bloei te bevorderen.
Vooral 's winters voor zoveel mogelijk licht zorgen. Vanaf februari tot oktober is het beter om tegen de felle zon te schermen. Planten die te veel licht krijgen vertonen na enige tijd gelig blad. In de zomer vooral 's nachts goed luchten.
Tijdens de groei eenmaal per maand bijmesten met een zeer zwakke, kalkvrije voedingsoplossing. Verpotten in een mengsel van 95 % sfagnum en 5 % fijne osmunda. Onder in de pot een flinke laag potscherven leggen. Groenbladige soorten in februari verpotten, de andere in juni.
Vermeerdering. Als u verpot, de grote exemplaren delen.

V.l.n.r. *Phalaenopsis amabilis, P. amabilis*-hybride, *P. schillerana* en *P. stuartiana.*

Phalaenopsis

Deze beeldschone orchideeën dragen ook een prachtige naam: de Griekse woorden *opsis* en *phalaina* staan voor 'gelijkend op' en 'nachtvlinder'. Deze epifytische orchideeën groeien in de vochtige oerwouden van Azië tot Australië. Het geslacht telt ongeveer 40 soorten. Bij uw bloemist kunt u vaak losse bloemtrossen kopen, waarvan de bloemen op water heel lang houdbaar zijn.
Verzorging. *Phalaenopsis* is een echte orchidee voor de warme kas. In de winter zoveel mogelijk licht en ook wel zon geven. Vanaf maart voor een beschaduwde plaats zorgen. Eind oktober mag het schermmateriaal weer verwijderd worden. In de winter kunt u een periode van een kleine maand inlassen bij een minimumtemperatuur van 12 °C, waarin u geen water geeft. Deze rusttijd werkt vooral bij de hybriden bloeibevorderend. Het hele jaar door zorgt u voor een zo hoog mogelijke relatieve luchtvochtigheid, tussen 70 en 80 %. Bij een te droge standplaats is er spintgevaar. Neem voor het nevelen altijd lauwwarm water, want koud water geeft vlekken. Vooral de witte bloemen smetten gauw, dus maar liever niet op de bloemen nevelen. Tijdens de groei met regenwater de wortelkluit matig vochtig houden, maar in de winter tamelijk weinig gieten. In de zomer iedere veertien dagen wat orchideeënmest geven.
Om de twee à drie jaar in mei verpotten in lattenbakjes met twee delen osmunda en een deel sfagnum. Een moderner mengsel is korrelturf met 20 % argexkorrels; breng in de plastic potten een goede drainagelaag aan.
Het is ook leuk om *Phalaenopsis* op stukjes boomvaren vast te maken en ze in een bloemenvenster te hangen.
Vermeerdering. Zaaien is een specialistenklus.

Bromelia's

Bovenstaande naam is eigenlijk niet correct, omdat de echte *Bromelia* een geslacht is dat weinig gekweekt wordt, daar het veel te groot wordt voor kamercultuur. Bromelia's is een verzamelnaam geworden voor alle leden van de *Bromeliaceae*, de familie der bromelia-achtigen. We kunnen ze in twee hoofdgroepen onderverdelen: de terrestrische bromelia's groeien met hun wortels gewoon in moeder aarde, maar de epifytische bromelia's wonen hogerop, op de stammen en takken van bomen.
Een bekende bromelia uit de eerste groep is de *Ananas*, die bij ons in de kamer ook zeer goed in standaardpotgrond kan groeien. Bekende soorten uit de tweede groep zijn *Aechmea, Neoregelia* en *Vriesea*. De epifyten groeien in de humus die zich bij voorbeeld in boomoksels verzamelt. U kunt ze met succes kweken in een luchtig mengsel van sfagnum en varenwortel, ook wel op brokken boomvaren. Als u ze in potten kweekt, dan voldoet een mengsel van sfagnum, verteerde bladaarde en oude koemest ook goed. Vergeet vooral niet om een goede drainagelaag onder in de pot aan te brengen. Leuker dan in een pot is de groei op een epifytenboom, waar u ze samen op laat groeien met planten die ongeveer dezelfde eisen aan de omgeving stellen als uw bromelia's. De meeste bromelia's prefereren een vochtige en warme omgeving, zoals de warme kas en het bloemenvenster die kunnen bieden.
Een epifytenboom kunt u gemakkelijk zelf maken, waarbij u uit kunt gaan van een echte, markant uitziende tak of een stuk stam met zijtakken, maar ook van pvc-pijp. Voor de stam neemt u een dikkere pijp dan voor de zijtakken en door gebruik van bochten, drieweg- en verloopstukken bent u in staat een echte boomvorm na te bootsen. Als u hem goed in elkaar lijmt heeft u een waterdichte epifytenboom. Op diverse plaatsen boort u minuscule gaatjes in de buizen, waaruit water kan stromen als u de 'boom' aansluit op de waterleiding via een kraan. Bedek nu de pvc-buis met kurk of sfagnum.
Door voorgaande methode toe te passen is het zeer gemakkelijk om sfagnum en planten van water te voorzien. Gebruikt u liever een echte boom, dan bevestigt u op de stam of takken stukken osmunda of dotten sfagnum, waar u dan met koperdraad de planten opbindt. Water geven door boven de boom in kas of bloemenvenster een sproeier te bevestigen. Zorg voor voldoende stevigheid, bij voorbeeld door vastzetten in een betonnen voet.
Bromelia's die van vochtig en warm houden, verdragen over het algemeen geen bestraling door felle zon. Een soort als *Cryptanthus* is reuze sterk en verdraagt zowel een lagere luchtvochtigheid als enige zonbestraling, die juist de bladkleur sprekender maakt. Dat laatste geldt ook voor de *Ananas*.
Bij de bouw van de bromelia's valt het onmiddellijk op dat de bladeren steeds in een kokervormig rozet staan. In deze kokers kan zich reservewater verzamelen, dat in droge perioden via het blad door de bromelia opgenomen kan worden. De kokers zijn bij de epifyten geprononceerder dan bij terrestrisch levende bromelia's, omdat de laatste groep dit reservevoedsel minder nodig heeft daar de bodem langer vocht vasthoudt dan het beetje humus waar de epifyten op de bomen van leven.
Bromelia's die u warm laat overwinteren ondervinden van een restje water in de koker geen hinder, maar bij overwinteringstemperaturen beneden 18 °C kunt u het er beter uitgieten. Water in kokers eenmaal per maand verversen. Gebruik altijd lauwwarm en onthard water en houd de aarde matig vochtig. Koude en een hoge watergift te zamen veroorzaken rot. Een andere slechte combinatie is hoge temperaturen en een lage luchtvochtigheid, waardoor schildluis en thrips op kunnen treden.
Bloeiende rozetten sterven af, of u ze een goede verzorging geeft of niet. Dat laatste is alleen van belang voor de nieuw te vormen rozetjes. Vermeerder uw bromelia door deze kindplantjes met wortels voorzichtig van de moederplant af te halen en op te potten. Meestal kunt u ze het best in de warme kas opkweken. Na twee jaar horen ze te gaan bloeien. Gaat dat niet vanzelf, dan kunt u ze een zetje in de gewenste richting geven door de volgende truc toe te passen. Stop de plant samen met een paar rijpe appels een dag in een plastic zak, temperatuur boven 20 °C. Het gas dat de appels afscheiden werkt als bloeiprikkel. Vermeerderen uit zaad is ook mogelijk, maar lastiger. Zaai bij 30-35 °C onder glas. Het opkweken neemt veel tijd.

V.l.n.r. *Aechmea gracilis, A. weilbachii, A. tillandsioides* 'Variegata' en *A. caudata.*

Aechmea

De 150 soorten horen in tropisch en subtropisch Midden- en Zuid-Amerika thuis. De overgrote meerderheid leidt daar een epifytisch leven. De vaak gedoornde bladeren zijn enigszins gebogen en vangen als gootjes het hemelwater op, waarna het in de bladkoker stroomt. Daar blijft het water tot de droge perioden in staan. Elke bladrozet bloeit maar eenmaal, waarna hij langzaam afsterft. Gelukkig hebben zich aan de voet van de oude plant dan alweer nieuwe rozetjes gevormd.
Verzorging. Een warme en lichte standplaats, waar de zon tussen tien en vijf uur niet direct schijnt, is het best. De minimum-wintertemperatuur is 15 °C. Een te hoge temperatuur in combinatie met een lage luchtvochtigheid kan schildluis en thrips tot gevolg hebben.
Tijdens de groei de potgrond matig vochtig houden en ook het water in de koker zeker eens per maand verversen. Altijd lauwwarm, onthard of regenwater gebruiken. Laat u de *Aechmea* warm overwinteren, dan mag het restje water wel in de koker blijven zitten, maar bij temperaturen beneden 18 °C is het beter het water uit de koker te gieten. Houd een matig hoge luchtvochtigheid aan. Bij koele overwintering houdt u de aarde net vochtig. Tijdens de groei eens in de twee weken bijmesten met een ontharde, zwak geconcentreerde voedingsoplossing.
Vermeerdering. Als jonge rozetten half zo hoog zijn als de moerplant, kunt u ze – met zoveel mogelijk wortels – afsnijden. Pot ze op in bromelia- of anthuriumaarde. Als ze na twee jaar niet in bloei willen komen doet u de *Aechmea* gedurende enkele dagen samen met een paar rijpe appels in een plastic zak. Het door de appels afgescheiden gas doet de plant bloeien.

Ananas comosus 'Variegatus'

Ananas (Ananas)

Ananas is de naam die de Brazilianen aan deze plant gaven en die mensen over de hele wereld overgenomen hebben. Oorspronkelijk groeide de *Ananas* alleen in tropisch en subtropisch Amerika, maar later ging men hem ook in Afrika en Azië kweken, waar hij nu ook verwilderd voorkomt. Ook in Australië zijn grote ananaskwekerijen. 's Werelds grootste exporteur van deze overheerlijke vruchten is echter Hawaii. De potplanten worden zowel hier te lande gekweekt als geïmporteerd.
Verzorging. De *Ananas* staat graag licht, zonnig en warm, het hele jaar door. Vooral de bonte soort krijgt een veel mooiere bladkleuring en -tekening als de zonnestralen onbelemmerd op de bladeren kunnen schijnen.
In de winter is de minimumtemperatuur 15-18 °C, waarbij u de plant wat droger moet houden dan 's zomers. Maar een rustperiode is niet noodzakelijk. In de zomer flink gieten en ook af en toe wat water in de bladrozet laten lopen. Als het erg warm weer is, zo tegen de 30 °C, dan moet gelucht worden en geneveld met lauwwarm water. Van mei tot september dient u elke twee weken een normaal geconcentreerde voedingsoplossing toe.
Voor verpotten standaardpotgrond, vermengd met wat bladaarde of naaldenbosgrond en scherp zand, gebruiken.
Vermeerdering. In maart of april kunt u de nieuwe rozetjes, die zich aan de voet van de moederplant ontwikkeld hebben, afsnijden en oppotten. Leuker is nog om van de vrucht – of dat er nu een uit de fruitwinkel is of van uw kamerplant maakt niet uit – de bladrozet met een klein schijfje ananas af te snijden, een dag in te laten drogen en dan op te potten in een zanderig mengsel. Op warmte onder glas laten bewortelen.

V.l.n.r. *Cryptanthus zonatus* 'Zebrinus', *C. bromelioides* 'Tricolor', *C. bivittatus* 'Minor', *C. fosterianus* en een C.-hybride.

Cryptanthus

In Brazilië en Guyana groeien 22 natuurlijke soorten, zowel op de grond als in bomen. De naam komt van de Griekse woorden *kryptos* en *anthos*, wat respectievelijk verborgen en bloem of bloeiwijze betekent: de bloemen blijven verscholen tussen de bladeren. *Cryptanthus* vormt platte rozetten, in tegenstelling tot andere bromelia's, die ook niet geschikt zijn om water vast te houden. Van nature groeien ze niettemin vaak in droge gebieden en ook in de kamer zult u merken dat u een zeer sterke plant in huis gehaald hebt.

Verzorging. *Cryptanthus* groeit goed in platte bakken of schalen, op een lichte plaats om de bladtekening optimaal tot zijn recht te laten komen. Enige zonbestraling kan geen kwaad. De groenbladige soorten hebben als minimum-wintertemperatuur 18 °C, de bontbladigen wensen zelfs 20 tot 22 °C. Giet vooral tijdens het groeiseizoen regelmatig, zodat de wortelkluit gelijkmatig vochtig blijft. In de zomer mag ook in de rozet wat water gegoten worden. 's Winters genoeg gieten om uitdroging van de potkluit te voorkomen. Lauwwarm regenwater gebruiken. De luchtvochtigheid tussen 60 en 70% houden. Aan het gietwater voegen we tijdens de groei tweemaal per maand een verdunde voedingsoplossing toe, de helft van de op de verpakking aangegeven concentratie.

Wilt u uw *Cryptanthus* als epifyt laten groeien, dan kunt u hem op een stuk boomschors of in een hangmandje kweken. Anders in ondiepe bakken – vanwege het kleine wortelstelsel – poten in verpakte potgrond, vermengd met sfagnum, bladaarde en wat scherp zand voor de goede drainage. Laagje potscherven onderin.

Vermeerdering. Jonge rozetjes afsnijden en opkweken in pure naaldenbosgrond.

V.l.n.r. achter *Guzmania*-hybride, *G. lingulata* en *G.*-hybride; vooraan *G. minor.*

Guzmania

Deze bromelia's zijn wat minder bekend, misschien omdat ze een heel hoge relatieve luchtvochtigheid verlangen en daarom meer geschikt zijn voor warme kas en bloemenvenster dan voor opkweek in de kamer. In het wild vinden we de *Guzmania's* vooral in tropische regenwouden van noordelijk Zuid-Amerika. Een minderheid van de 120 soorten groeit elders in Zuid- of in Midden-Amerika. Er bestaan zowel terrestrisch als epifytisch groeiende soorten. De bloemen verschijnen meestal in de wintermaanden. Dat u ze desondanks het hele jaar door bloeiend in de bloemenwinkels aantreft, is te danken aan het gebruik van groeiregulatoren.
Verzorging. In de zomer zet u de *Guzmania* op een beschaduwde plaats, in de winter juist zo licht mogelijk. De minimum-wintertemperatuur is 16-18 °C. In deze periode wat minder gieten en zeker nooit water in de koker laten komen, behalve als de *Guzmania* naast de verwarming in de kamer staat. Ook dan regelmatig controleren of er geen rot optreedt. Als u ziet dat er een bloeiwijze uit de koker komt dan mag u er geen water meer in gieten! Tijdens de groei regelmatig gieten met lauwwarm en onthard water, zodat de wortelkluit vochtig blijft. Als hij in de kamer staat is nevelen een prima methode om de luchtvochtigheid te verhogen. In de winter laten we het besproeien achterwege. Tijdens de groei tweemaal per maand bijvoeden met een kalkvrije voedingsoplossing, half zo sterk als op de verpakking aangegeven staat.
Vermeerdering. Zaai bij een minimumtemperatuur van 15 °C, of neem jonge, bewortelde scheuten van de moederplant en pot die op in een mengsel van osmunda, sfagnum, verteerd beukeblad en wat scherp zand in plastic potten. Onder in een laag potscherven leggen om een goede drainage te waarborgen.

V.l.n.r. *Neoregelia carolinae* 'Tricolor', *N. carolinae, N. concentrica* en *N. carolinae* 'Stricata'.

Neoregelia

Van de 34 natuurlijke soorten groeit er een in Guyana, de rest in Brazilië. Ze leiden een epifytisch leven. Als de planten gaan bloeien gaat het midden van de rozet kleuren. De bloempjes zitten altijd onder in de koker, zodat de bloei weinig spectaculair is.
Verzorging. Als u een bloeiende of bijna-bloeiende plant koopt kunt u hem eigenlijk overal neerzetten. Het afstervingsproces is alleen te vertragen door de plant een koele – tot 12 °C – plaats te geven. Om de opkweek van jonge plantjes succesvol te laten verlopen moeten we meer op de omstandigheden letten, vooral als we geen kasje ter beschikking hebben. De jonge *Neoregelia*'s verlangen veel licht, maar geen directe zonbestraling. Van maart tot augustus moet de temperatuur tussen de 22 en 25 °C liggen, 's winters tussen 15 en 18 °C. De relatieve luchtvochtigheid moet 's zomers hoog zijn, in de winter iets lager. Het mag duidelijk zijn dat deze behoeften meer in de richting van de warme kas wijzen dan naar de kamer.
Houd de wortelkluit gelijkmatig vochtig met lauwwarm en onthard water, waaraan u tijdens de groei iedere veertien dagen kalkarme voeding van normale concentratie toevoegt. Vul ook de koker regelmatig bij. Om te voorkomen dat zich onverteerde voedselresten ophopen eenmaal per maand de koker leeggieten en omspoelen. Rot treedt op als u te veel of te koud water toedient.
Verpot in een mengsel van verteerd beukeblad, oude koemest en sfagnum. Als u in potten kweekt dan heel goed draineren, maar het is beter om *Neoregelia*'s in hangmandjes of op boomstammetjes te laten groeien.
Vermeerdering. Uit zaad komen alleen groenbladige vormen terug. Pot jonge rozetjes zo laat mogelijk op: ze hebben dan al aardig veel worteltjes.

V.l.n.r. *Tillandsia leiboldiana, T. flabellata* en *T. lindenii.*

Tillandsia

In zuidelijk Noord-Amerika en Midden- en Zuid-Amerika zijn ruim 400 soorten *Tillandsia*'s in het wild te vinden. De soorten die in vochtige gebieden groeien hebben veelal dun en groen blad. Er zijn ook *Tillandsia's* die juist in droge gebieden goed gedijen. Om de verdamping tegen te gaan hebben deze planten zilverkleurige, schubvormige haren op het blad. Hoe dichter die op elkaar staan, hoe witter of grijzer het blad lijkt, hoe minder water u hoeft te geven en hoe lichter de plant hoort te staan.
Verzorging. De grijsbladige soorten zijn het meest geschikt voor kamercultuur, omdat voor hen de luchtvochtigheid niet zo belangrijk is. Ze vragen veel licht, warmte en frisse lucht. In lente en zomer wel tegen felle zon schermen. Een overwintering in de gematigde kas bij een minimumtemperatuur van 12 °C is prima. Ze krijgen dan weinig of geen water.
De groenbladige soorten kunnen met minder licht toe: een halfbeschaduwde standplaats voldoet. Ze verlangen echter een hoge, constante luchtvochtigheid en daarom zijn dit meer planten voor een bloemenvenster of een warme kas. In de winter moet de temperatuur minimaal 18 °C zijn.
De grijsbladigen mogen in de zomermaanden naar buiten. In de lente kunt u ze langzaam aan zonbestraling wennen. Als er geen regen valt 's avonds en 's morgens nevelen. Ook in de kamer regelmatig nevelen, zodat de relatieve luchtvochtigheid matig blijft. Neem onthard of gedemineraliseerd gietwater om de kluit matig vochtig te houden. Voed tijdens de groei met bladmest via het nevelwater.
Verpot in een mengsel van sfagnum, osmunda en bladaarde of bind ze op takken.
Vermeerdering. Snijd uitlopers van de moederplant en houd ze een tijdje onder glas.

V.l.n.r. *Vriesea* 'Favorite', *V. rodigasiana, V. carinata* en *V. splendens.*

Vriesea

Grotendeels epifytisch levende bromelia's, waarvan in Midden- en Zuid-Amerika zo'n 200 soorten voorkomen. De plant wordt veel gekweekt en bijgevolg zijn er heel wat mooie hybriden ontstaan. De bloei kan wel een half jaar duren.
Verzorging. Voordat u een plekje aan uw *Vriesea* geeft moet u even nadenken wat u precies met de plant wilt. Als u de jonge rozetjes tot bloeibare planten op wilt kweken, dan is een lichte plaats met een minimumtemperatuur van 18 °C en een hoge relatieve luchtvochtigheid gewenst, terwijl de zonnestralen na elf uur de plantjes niet meer direct mogen beschijnen. U begrijpt het al: ook hier is de warme kas eigenlijk de geschiktste standplaats. Toch kunt u de sterkste uitlopertjes wel met succes in de kamer verder kweken. Het zal alleen wat meer moeite kosten en dientengevolge ook wat meer voldoening geven als het u lukt. Tijdens de groei mag de koker gevuld zijn, maar 's winters mag er absoluut geen water in blijven staan. Dan ook de potgrond iets droger houden. In lente en zomer de wortelkluit matig vochtig houden met onthard en lauwwarm water. Ook de meststof die u dan eenmaal per maand toedient, moet kalkvrij zijn.
Bent u niet geïnteresseerd in de opkweek van jonge plantjes dan kunt u de *Vriesea* overal neerzetten waar voldoende licht is. Af en toe wat kalkvrij water toedienen is de enige zorg die u hoeft te geven en na een maand of zes wordt de plant minder mooi en kunt u hem wegdoen.
Verpot in een kalkvrij mengsel van sfagnum, verteerd beukeblad, turfbrokjes en oude koemest of naaldenbosgrond met oude koemest. Goed draineren!
Vermeerdering. Via jonge rozetten. Uit zaad kan wel, maar het duurt héél lang.

Varens

De varens nemen een aparte plaats in het plantenrijk in omdat ze geen zaad vormen, zoals andere planten, maar sporen. Zaad ontstaat pas nadat de bevruchting heeft plaatsgevonden, maar sporen zijn een voorstadium van kiemplantjes en voor hun ontstaan is geen bevruchting nodig. De sporen bevinden zich altijd aan de onderzijde van het blad, maar alleen op de zogenaamde fertiele bladeren. De onvruchtbare, steriele bladeren dragen geen sporen. De sporen zitten vaak in ronde of langgerekte sporenhoopjes. Uit de sporen ontwikkelt zich eerst een klein, hartvormig blaadje dat we voorkiem noemen. Deze voorkiem kan zichzelf voeden. In dit stadium vindt bevruchting plaats en pas dan komt een nieuwe varenplant tot ontwikkeling.
Een ander kenmerk van de varens is de bladvorm, meestal samengesteld en geveerd. Bij een geveerd blad zijn de randen zover ingesneden dat de middennerf geraakt wordt. Als de veren zelf ook weer geveerd zijn spreken we van dubbel geveerd en bij varens zien we ook wel bladeren die drievoudig geveerd zijn.
Een groot deel van de varens wenst warmte, een licht beschaduwde standplaats en een hoge luchtvochtigheid, waardoor ze in de categorie warme-kas- of bloemenvensterbewoners vallen. Als u het geen bezwaar vindt om af en toe een nieuwe varen aan te schaffen kunt u deze varens ook best in de kamer zetten. Meestal verdragen ze zelfs zware schaduw nog heel goed en kunt u er maandenlang plezier van hebben.
Aan tocht hebben varens een reuze hekel. Tocht en verkeerde cultuurmaatregelen resulteren in dierlijke aantastingen als aaltjes, thrips en allerlei soorten luis. Bruine bladranden kunnen het gevolg zijn van te weinig water, een te lage luchtvochtigheid, te lage temperaturen of te weinig voedsel.
De varens die in de kamer makkelijk goed te houden zijn, omdat ze een lagere luchtvochtigheid verdragen, zijn *Cyrtomium*, de ijzervaren, *Platycerium* of hertshoornvaren, en *Pellaea*, die zelfs zonder problemen leidingwater drinkt, waar de andere varens uitsluitend onthard of regenwater krijgen.
Het goed water geven is geen simpel karwei. Houd de potkluit gelijkmatig vochtig, liefst door tweemaal per dag water te geven. Door het grote bladoppervlak kunnen varens nogal wat water verdampen. Gebruik lauwwarm en onthard water. Varens hebben een hekel aan stagnerend water in hun pot, zorg dus voor een goede drainage door onder in de pot een laag potscherven aan te brengen en wat zand door het grondmengsel te mengen. Te veel water is niet goed, maar het is nog erger als de wortelkluit uitdroogt. Plastic containers voldoen goed, maar potten met een watergeefsysteem besparen u veel gietwerk.
De gevoelige bladeren van veel varens ontwikkelen zich het mooist als er een hoge luchtvochtigheid heerst. In de kamer kunt u dat het best benaderen door een elektrische verdamper te gebruiken en de planten regelmatig te besproeien, uiteraard met onthard water. Tijdens het groeiseizoen is het heel prima om de varens eenmaal per week of eens in de twee weken te dopen. Aan het doopwater kunt u dan meteen wat voeding toevoegen, die bij veel varens maar in een zwakke concentratie gegeven mag worden, en die bovendien kalkvrij moet zijn. Varens zijn het mooist als ze goed groeien. U kunt al zes weken na het verpotten beginnen met bijvoeden. Als varens flink aan de groei zijn is het soms nodig om ze in één jaar tweemaal te verpotten. Gebruik standaardpotgrond, eventueel vermengd met wat extra turf of beukebladaarde. Epifytisch groeiende varens doen het goed in anthuriumaarde of in een mengsel van turf, bladaarde en oude koemest.
In de herfst en winter kan een rustperiode worden ingelast. De temperatuurbehoeften lopen nogal uiteen, zodat u hiervoor de plantbeschrijvingen moet raadplegen.
Wanneer uw varen ondanks goede zorgen niet meer zo best gedijt kunt u hem ook het best een poosje rust gunnen. Zet hem enkele graden koeler, geef iets minder water en snijd het oude blad eraf. Na anderhalve maand in verse potgrond oppotten, weer meer warmte en vocht geven en hopen dat hij weer goed gaat groeien.
De krulvaren is makkelijk te vermeerderen door uitlopers. De meeste andere varens kunt u scheuren of door sporen opkweken. Steriliseer zaaibakjes en aarde en zaai onder glas bij 25 °C bodemtemperatuur.

V.l.n.r. *Adiantum tenerum* 'Scutum Roseum', *A. raddianum* en *A. raddianum* 'Goldelse'.

Adiantum (Venushaar, Chevelure).

Deze bijzonder sierlijke varens vinden we over de hele wereld in tropische en subtropische regenwouden, maar de meeste soorten komen uit Midden- en Zuid-Amerika.
Verzorging. Wil venushaar zijn tropisch weelderige uiterlijk ook bij ons in de kamer behouden, dan moet u aan een paar van zijn eisen voldoen: warmte, schaduw en een hoge luchtvochtigheid. Dat is eigenlijk gemakkelijker te realiseren in een bloemenvenster of kas. Verkeerde cultuurmaatregelen, ook tocht, verzwakken de plant, waardoor allerlei gespuis als thrips, aaltjes, blad-, schild- en wortelluis, kans ziet om uw mooie venushaar aan te tasten. Maar laat u zich door deze sombere berichten niet afschrikken, want met een beetje extra zorg is het goed mogelijk om een mooi exemplaar te kweken. U zet hem dus op een tochtvrije, beschaduwde plaats.
Een regelmatige watergift is erg belangrijk, want de wortelkluit mag nooit uitdrogen. Eenmaal per week dopen is noodzakelijk. Vooral als de kluit helemaal doorworteld raakt en er bijgevolg weinig aarde meer is om water vast te houden, wordt het gevaar voor uitdroging groot. Potten met een ingebouwd watergeefsysteem zijn hier een uitkomst. Neem voor gieten en besproeien lauwwarm en onthard water. Mochten de blaadjes toch verdrogen, snijd dan de bladstelen boven de grond af. Waarschijnlijk loopt uw chevelure toch weer mooi uit.
In de herfst een rusttijd van twee maanden inlassen en dan iets minder gieten. Het oude loof afsnijden. De temperatuur mag niet onder 18 °C zakken. Verpot in varenmengsel. In lente en zomer mag u bijmesten, maar alleen met sterk verdund voedsel, een derde van de normale concentratie.
Vermeerdering. Via sporen in maart, of door scheuren van de wortelstokken.

V.l.n.r. *Asplenium bulbiferum, A. nidus, A. nidus* var. *australasicum.*

Asplenium (Streepvaren)

Dit uitgebreide varengeslacht komt in alle werelddelen voor, maar het grootste deel van de 700 soorten kunnen we in de regenwouden van Azië, Afrika en Australië vinden. Ze groeien daar deels epifytisch, waarbij ze voedsel en water verzamelen in hun trechtervormige bladrozetten, deels op de bodem van het woud.
Verzorging. Streepvarens nemen met weinig licht genoegen. Omdat ze een hoge luchtvochtigheid verlangen, staan ze graag in een bloemenvenster of kas. Maar als u in de huiskamer voor een hoge luchtvochtigheid zorgt, doet *Asplenium* het daar ook uitstekend. Bij *Asplenium nidus*, de nestvaren, nemen we regelmatig het blad af met kalkvrij water. Alle soorten regelmatig besproeien, ook met onthard water. Tijdens de groeiperiode geeft u veel – zacht – water, zodat de wortelkluit gelijkmatig vochtig blijft. Eenmaal per week dopen. De rest van het jaar moet de aarde net vochtig aanvoelen. In de winter houden we *Asplenium*'s matig warm, minimaal op 12 °C. A. *nidus* liever op 16 °C. De nestvaren heeft namelijk een grotere warmtebehoefte dan de andere soorten. Bruine randen langs zijn blad kunnen het gevolg zijn van te lage temperaturen, te weinig voeding, een te lage luchtvochtigheid of te weinig water. Iedere veertien dagen voegt u aan het giet- of doopwater voeding toe, concentratie als aangegeven op de verpakking. Veel voedsel resulteert in veel nieuw blad.
Als grondmengsel neemt u een deel klei, twee delen beukebladaarde of turf en een deel scherp zand of perlite. Goed draineren! A. *nidus* zet u in *Anthurium*-aarde of in een mengsel van turf, bladaarde en oude koemest. In een bloemenvenster kunt u hem op de epifytenboom kweken.
Vermeerdering. Via sporen of, bij broedvarens, via broedplantjes.

Links *Cyrtomium falcatum* en rechts *Microlepia speluncae.*

Cyrtomium (IJzervaren) / **Microlepia**

Microlepia komt uit de tropische gebieden van Azië en Afrika, terwijl *Cyrtomium* uit koelere gebieden in China en Japan stamt. Dit verschil in herkomst moet ook tot uiting komen in de verzorging.
Verzorging. De ijzervaren is een sterke kamerplant – vandaar de Nederlandse naam – voor koelere gedeelten van het huis. Omdat hij met weinig licht genoegen neemt is hij goed te gebruiken in trappenhuizen, vestibules en corridors. Zolang het blad niet diep donkergroen is, kan de plant met een nog schaduwrijkere plaats toe.
Van oktober tot maart houdt de *Cyrtomium* een rustperiode bij 7-10 °C. In de lente pot u hem op in een mengsel van bladaarde of naaldenbosgrond met oude koemest, of in standaardpotgrond met extra turf, terwijl u zand toevoegt voor een goede drainage. Tijdens de groei regelmatig met onthard water gieten en besproeien. Een bui echte regen op zijn tijd wordt gewaardeerd. Eenmaal per maand dopen en door het doopwater wat voedsel mengen, een derde van de voorgeschreven concentratie.
Als we het blad van de *Microlepia* bekijken dan zien we direct dat deze plant slecht tegen droge lucht kan. Vandaar dat een bloemenvenster of een kas de meest geschikte omgeving bieden. Maar vooral in de zomer kan deze varen zonder problemen in de kamer gehouden worden. Hij heeft weinig licht nodig. In de zomer veel gieten met onthard water en iedere veertien dagen bijmesten, door aan het doopwater voedsel toe te voegen. Het winterse minimum is 15 °C. Iedere lente in verse grond: drie delen bladaarde, twee delen oude koemest en een deel scherp zand.
Vermeerdering. Beide varens kunnen gedeeld worden of opgekweekt uit sporen, die we in maart onder glas in vochtige turf uitzaaien; bodemwarmte 20 °C.

V.l.n.r. *Nephrolepis exaltata* 'Maassii', *N. exaltata* 'Rooseveltii' en *N. cordifolia* 'Plumosa'.

Nephrolepis (Krulvaren)

Naast de dertig natuurlijke soorten, die we overal in de tropische wereld kunnen vinden, bestaat er een groot aantal kweekvormen. We kennen zowel epifytisch als terrestrisch levende krulvarens.

Verzorging. Een van de beste en sterkste soorten voor de kamer is *Nephrolepis exaltata*. In een centraal verwarmd vertrek kan de krulvaren het wel een jaar uithouden, maar als er niet hard aan een hoge relatieve luchtvochtigheid gewerkt wordt, zal er van groeien niet veel komen. De beste tijd van aanschaf is tegen de zomer, want dan stijgt de vochtigheidsgraad in uw kamer. Zet de krulvaren niet te warm en zo mogelijk dicht bij uw luchtbevochtiger. Deze varens hebben iets meer licht nodig dan de meeste andere varensoorten. Zowel te veel als te weinig licht zijn schadelijk, en met de watergift is dat al precies zo. Probeer zo gelijkmatig mogelijk te gieten met onthard water, of gebruik potten met ingebouwd watersysteem. Bladeren regelmatig besproeien. Tijdens de groei iedere week bijvoeden; een derde of een kwart van de normale concentratie.

Wordt de plant ondanks al uw goede zorgen wat minder mooi dan kunt u proberen om hem door rust en koelte weer op te peppen. Een à twee maanden rust, iets droger houden en vijf graden koeler; het oude blad verwijderen. Na deze tijd verpotten en hem in een vochtige, warmere omgeving, liefst in de kas, aan de groei brengen. Verpot de krulvaren in een mengsel van bladaarde of naaldenbosgrond, oude koemest en scherp zand en draineer de potten goed.

Vermeerdering. In de loop van de zomer kunt u de uitlopers van de moederplanten afnemen en oppotten. Alleen zuivere soorten zijn via sporen te vermeerderen.

Links *Pellaea falcata* en rechts *P. rotundifolia.*

Pellaea

De meeste varens hebben behoefte aan een hoge luchtvochtigheid, maar de *Pellaea* vormt hierop een uitzondering. Het zijn xerofyten, een mooi woord, wat betekent dat deze varens op droge plaatsen groeien. Er is een tachtigtal soorten bekend, die vooral in de drogere gebieden van Zuid-Amerika, Zuid-Afrika en Nieuw-Zeeland gedijen.
Verzorging. Geef de *Pellaea* een beschaduwde plaats. Alleen in de herfst en winter kan wat ochtend- of avondzon geen kwaad. Door het leerachtige blad wordt weinig water verdampt, zodat deze varen de lage relatieve luchtvochtigheid, die meestal in onze kamers heerst, goed verdraagt. Toch bevordert het de groei als u de bladeren af en toe besproeit. Houd de potgrond matig vochtig en zorg dat de wortelkluit nooit helemaal uitdroogt. Andere varens mag u alleen met onthard water begieten, maar voor de *Pellaea* mag u gewoon leidingwater gebruiken. In lente en zomer voegt u daar iedere veertien dagen een dosis kamerplantenmest aan toe, concentratie als op de verpakking aangegeven staat.
Pellaea is weinig gevoelig voor ziekten en u loopt dus nauwelijks risico als u de varen 's winters in de kamer laat overwinteren. Toch is een wintertemperatuur van 12-15 °C beter voor de ontwikkeling van de plant. Tijdens deze koele periode iets minder gieten. In het voorjaar verpotten in een mengsel van verteerd beukeblad, oude koemest, turfmolm en een klein beetje kalk. *Pellaea* wortelt ondiep. Neem dus ondiepe schalen of bakken en draineer goed. Hangmandjes zijn ook leuk.
Vermeerdering. Scheuren van planten is de makkelijkste methode. De sporen kunt u uitzaaien onder glas bij een temperatuur van 18 °C.

Links en rechts twee exemplaren van *Platycerium bifurcatum*, in het midden *P. grande*.

Platycerium (Hertshoornvaren)

In de tropische oerwouden van Azië, Australië, Zuid-Amerika en Afrika groeit een achttiental soorten op bomen, tot 30 meter boven de grond. De hertshoorn heeft twee soorten bladeren: de nestvormige, steriele steunbladeren en de geweivormige, vertakte, fertiele bladeren.
Verzorging. Op de bladeren zit een waslaag, die de hertshoorn tegen te grote verdamping beschermt. Een ideale plant voor centraal verwarmde ruimten. Zorg dat er geen direct zonlicht op deze varen valt. Verder kan hij overal tegen: een lichte of een zwaar beschaduwde plaats. De hertshoorn mag het hele jaar door in de kamer blijven hangen, maar het is beter als de temperatuur 's winters wat lager is, waardoor de relatieve luchtvochtigheid dan ook meteen wat stijgen zal. Overwintering bij hoge temperaturen heeft in een volgende periode vaak schildluis tot gevolg.
In deze koelere periode water geven afhankelijk van de hoogte van de temperatuur, maar zorgen dat de plant niet geheel uitdroogt. In de zomer kunt u de watergift verzorgen door wekelijks te dopen in regenwater. In dit doopwater kunt u wat kalkvrije voeding mengen, een half zo zwakke oplossing als op de verpakking aangegeven staat. De bladeren mogen niet besproeid worden.
Kweek hertshoorns in een lattenmandje als hangplant. Gebruik als grondmengsel blad- of naaldenbosgrond, osmunda, sfagnum en oude koemest. Bij jonge exemplaren kunt u, als verpotten moeilijk is, volstaan met het verversen van de bovenste teeltlaag.
Vermeerdering. Uitlopers afnemen en apart oppotten. *Platycerium grande* maakt geen uitlopers, maar wel sporen op zijn fertiele bladeren. Zaaien in steriele grond, onder glas, bij 25 °C.

V.l.n.r. *Pteris ensiformis* 'Victoriae', *P. quadriaurita, P. cretica* 'Albolineata', *P. cretica* 'Parkeri' en *P. cretica* 'Alexandrae'.

Pteris (Vleugelvaren)

Omdat de bladveren soms de vorm van vleugels hebben, draagt deze plant de naam *Pteris,* van het Griekse *pteron,* wat vleugel betekent. We kennen bijna 300 soorten, die overal in de tropen en soms in gematigde streken groeien.
Verzorging. Deze varens zijn zeer geschikt voor gebruik in bloemenvensters, flessen of voor de kas. In de kamer kunnen ze alleen gedijen als u voor een hoge relatieve luchtvochtigheid zorgt: vaak besproeien, een elektrische verdamper benutten of *Pteris* in gecombineerde beplanting gebruiken. In de winter is een vochtige atmosfeer helemaal moeilijk te realiseren. Het is beter als u de *Pteris* dan naar een koel vertrek brengt, waar het met de relatieve vochtigheid immers beter gesteld is. De minimumtemperatuur voor groene soorten is 12 °, voor de bontbladigen 16-18 °C. Geef minder water naarmate de planten koeler staan.
Zet de varens op een beschaduwde plaats, de bonte soorten hebben méér licht nodig dan de groene. Directe zonbestraling altijd vermijden. In de lente en zomer regelmatig gieten, om de wortelkluit gelijkmatig vochtig te houden. Gebruik water dat vrij is van kalkzouten. Voeg er wekelijks een sterk verdunde voedingsoplossing aan toe.
In de lente verpotten in een kalkarm grondmengsel, zoals gelijke delen verteerd beukeblad, oude koemest en scherp zand of perlite. Plastic potten zijn beter dan stenen, in dit geval. Zorg voor een goede waterafvoer.
Vermeerdering. *Pteris* is makkelijk te vermenigvuldigen door deling. Het zaaien van sporen en het opkweken van jonge vleugelvarentjes vereist grote hygiëne en meer inspanning, maar levert veel nageslacht. Zaai bij 25 °C, onder glas.

Palmen

Palmen in het interieur lijken een modeverschijnsel te zijn. Een tijdlang was het een der bekendste kamerplanten – denk aan de Jugendstil-interieurs – toen vonden we ze ouderwets en tijdens de jaren zeventig beleefde de palmencultuur in huis weer een ongekende bloei. Dat is heel terecht, want palmen zijn zeer sterke kamerplanten, die redelijk tegen onze droge kamerlucht bestand zijn en bovendien nog vrij weinig licht nodig hebben om er mooi bij te staan. Vroeger gebruikte men ze ook wel op de meest ongunstige plaatsen in een hotel of in een hal thuis, waar ze dan een paar maanden stonden om daarna geruild te worden met exemplaren die in een kas net een paar maanden waren bekomen van hun akelige standplaats. Dit ruilsysteem heet ook wel wisselbeplanting.
De bekende Zweedse plantkundige Linnaeus noemde de palmen 'Vorsten van de Plantenwereld', en als we tijdens onze vakanties onder de indruk zijn gekomen van het statige ruisen van een oude, metershoge palm, dan zullen we dit kunnen begrijpen. Palmen hebben een houtige stam die zich meestal niet vertakt. De grote bladeren zijn handvormig samengesteld, zoals de waaierpalmen, waar alle blaadjes aan de top van de bladsteel zijn ingeplant, of ze zijn geveerd, zoals bij de vederpalmen. Een enkele keer zijn ze enkelvoudig en aan de top ingesneden. Als regel bloeien ze in de kamer niet, maar hier is een uitzondering op in de vorm van de *Chamaedorea*, want die maakt juist heel makkelijk en al op jonge leeftijd trosjes gele of oranje bloempjes.
Over het algemeen kunnen palmen geen leidingvaten meer toevoegen aan de vaatbundels die zich van het begin af in de stam bevonden. Dezelfde vaten worden steeds weer gebruikt om nieuwe bladeren te bevoorraden als de oude zijn afgevallen. Daarom houden ze hun leven lang ook vaak hetzelfde aantal bladeren.
De bladpunten van palmen zijn in een pril stadium aan elkaar gegroeid. Bij het ontvouwen van het blad scheuren ze van elkaar en ontstaan er bruine puntjes. Dat vinden we dan niet mooi en we zijn geneigd de schaar te pakken en knip, weg dat lelijke bruine puntje. Die oplossing biedt weinig soelaas, daar de snijwond weer voor een nieuw bruin uiteinde zorgt. Als u wilt knippen, laat dan altijd 2 mm bruin aan het groene blad zitten, anders kleurt de snede opnieuw bruin. U kunt wel voorkomen dat het bruin echt storend wordt door goed aan de volgende punten te denken: zet een palm niet in een loopgang, zodat er tegenaan gestoten wordt, geef regelmatig water, zorg dat de potkluit nooit uitdroogt en laat de luchtvochtigheid niet te ver dalen. In de zomer kunt u uw palm lekker in een bui regen zetten en in andere jaargetijden sproeit u af en toe eens. Regelmatig het blad afsponsen met onthard water, om het stof van de bladeren te vegen, waardoor ze optimaal kunnen assimileren. Als u gewoon leidingwater neemt heeft u kans op kalkvlekken op het loof. Het is goed om palmen eenmaal in de twee weken te dopen, zeker tijdens de groeiperiode. Aan stagnerend water in de pot hebben ze een grote hekel, tref dus uw maatregelen bij het verpotten. De enige palm die zoiets als langdurig water op zijn schotel verdraagt is de *Microcoelum*, het kokospalmpje.
Wat de lichtbehoefte betreft zijn de palmen niet zo veeleisend. Volle zon is ongewenst. Ze houden wel van een lichte standplaats, maar vaak verdragen ze vrij veel schaduw. Alleen zullen ze dan niet zo goed groeien.
Kamertemperatuur is meestal aan de hoge kant. Een temperatuur tussen 12 en 16 °C vinden palmen aangenamer. De *Chamaerops* is een echte kuipplant, die u dus 's zomers naar buiten kunt doen. Een koele hal of trappenhuis is een prima plaats voor veel van de andere palmen.
Verpot ze in diepe, zeer goed gedraineerde plastic containers, in standaardpotgrond of een eigengemaakt mengsel van kleizodengrond, verteerde bladaarde, oude koemest en scherp zand. Het grondmengsel goed aandrukken. Oudere palmen hoeft u maar eenmaal per drie jaar te verpotten, maar dan moet u wel de kwaliteit van het gietwater goed in het oog houden.
Het vermeerderen is niet zo simpel. Een enkele maal lukt het door delen, meestal moet het via zaad, dat op warmte gezaaid wordt. Na opkomst moeten de palmpjes zeker nog een jaar in de kas vertroeteld worden.

V.l.n.r. *Chamaedorea elegans*, *Areca triandra* en *Chamaerops humilis*.

Chamaedorea / Areca / Chamaerops

Chamaedorea elegans, de bekendste van de 120 soorten *Chamaedorea*, stamt uit Mexico. De *Areca*, waarvan 14 soorten bestaan, komt voor in Azië en Australië. De meeste soorten ontwikkelen het geveerde blad pas enkele jaren na het zaaien. Op dat moment zien ze er schitterend uit. De *Chamaerops* is de enige palm die in Europa in het wild voorkomt. Er zijn 9 soorten, die in het westelijke Middellandse-Zeegebied groeien.

Verzorging. Al deze palmen wensen veel licht, maar geen directe zonbestraling tussen tien en zeventien uur. Tijdens het groeiseizoen giet u rijkelijk en in de winter laat u de watergift van de temperatuur afhangen.

Chamaedorea kent een rustperiode van oktober tot februari, waarbij de nachttemperatuur niet boven 12-14 °C mag komen. Houd de aarde net vochtig. Droge kamerlucht werkt nadelig op zijn ontwikkeling. Sproei regelmatig met onthard water. In lente en zomer wekelijks bijmesten met voedsel dat half zo geconcentreerd moet zijn als op de verpakking aangegeven staat. U kunt de voeding ook aan het wekelijkse doopwater toevoegen. Verpot in hoge, smalle potten in een mengsel van klei, bladaarde, oude koemest en scherp zand. Dat mengsel is ook geschikt voor *Chamaerops* en *Areca*.

Chamaerops is een kuipplant die 's zomers buiten mag staan. Niet te zonnig! In de winter voor voldoende frisse lucht en een temperatuur tussen 0 en 10 °C zorgen. Bij koud weer houdt u de palm vrijwel droog. Tijdens de groei wekelijks normaal geconcentreerd voedsel toedienen en vaak besproeien. De *Areca* verlangt een warme, vochtige atmosfeer en veel water. Zelfs een voetbad is toegestaan.

Vermeerdering. Uit het zaad, wat het makkelijkst lukt bij de *Chamaerops*.

V.l.n.r. *Howeia belmoreana, Microcoelum weddelianum* en *Howeia fosteriana.*

Howeia (Kentiapalm) / **Microcoelum** (Kokospalmpje)

De *Howeia* of *Howea,* waar twee soorten van bestaan, stamt van de Lord Howe-eilanden ten oosten van Australië. De *Microcoelum* noemen we terecht een palmpje, want ook in zijn land van herkomst, Brazilië, blijft hij maar klein.
Verzorging. Zet uw *Howeia* op een lichte, maar niet te zonnige plaats, vooral als het om een jong exemplaar gaat. Het loof moet regelmatig schoongemaakt en besproeid worden. 's Zomers kunt u deze palm in een mals regenbuitje zetten. Dek dan de aarde af, zodat die niet te nat wordt. Eenmaal in de twee weken dopen en aan het doopwater normaal geconcentreerde kamerplantenmest toevoegen. Tijdens de groei de wortelkluit matig vochtig houden, liefst met lauw regenwater. Matig hoge luchtvochtigheid. In de winter is 14-18 °C de beste temperatuur, waarbij u dan wat minder giet en dagelijks het blad besproeit. Wissel verpotten en alleen de bovenste aardlaag verversen af. Als grondmengsel neemt u bladaarde of naaldenbosgrond, oude koemest en wat scherp zand. De beste potten zijn diep en hebben een goede waterafvoer, zoals plastic containers.
Dit stukje over verpotten geldt ook voor de *Microcoelum,* die verder echter heel andere eisen stelt. Het is namelijk een van de weinige palmen die het hele jaar door een warme standplaats wensen – minstens 18 °C – en daarbij een hoge luchtvochtigheid. In de warme kas zal hij het dus uitstekend doen, maar in de kamer houdt hij het ook wel twee jaar uit, als u enigszins aan zijn eisen tegemoet kunt komen. Geef veel – onthard – water, dat gerust op het schoteltje mag blijven staan. Elke twee weken aan het doopwater normaal geconcentreerde kalkarme mest toevoegen.
Vermeerdering. Beide palmen uit zaad, kiemtemperatuur 25-30 °C.

V.l.n.r. *Phoenix roebelenii, Washingtonia filifera* en *Phoenix canariensis.*

Phoenix (Dadelpalm) / **Washingtonia**

Naast de echte dadelpalm, *Phoenix dactilifera,* kennen we nog 9 andere soorten, alle voorkomend in Afrika en Azië. De *Washingtonia,* genoemd naar de eerste president van Amerika, groeit in het zuiden van de Verenigde Staten.
Verzorging. *Phoenix roebelenii* vraagt een beschaduwde standplaats, veel warmte het hele jaar door en een hoge luchtvochtigheid. De minimum-wintertemperatuur is 16 °C. Zowel in verzorging als uiterlijk lijkt deze soort veel op de *Microcoelum.*
De echte dadelpalm staat graag op een zonnige plaats en mag in de zomer in de tuin of op het terras gezet worden. Dit geldt ook voor *P. canariensis.* Het verschil tussen deze twee dadelpalmen ligt in de overwinteringstemperatuur. Eerstgenoemde palm overwintert bij 8 °C, de laatstgenoemde in de koude kas bij minimaal 4 °C. Na een te warme overwintering zijn ze gevoelig voor schildluis.
Voor alle dadelpalmen geldt dat de potkluit niet uit mag drogen. Houd ze 's zomers matig vochtig met zacht water. Iedere twee weken dopen. In de winter minder gieten als ze koud overwinteren, maar af en toe gieten met lauwwarm water. Van april tot september wekelijks bijvoeden met normaal geconcentreerd voedsel. Verpotten in diepe, smalle potten in standaardpotgrond. Goed draineren. De *Washingtonia* zet u in gelijke delen klei, verteerd beukeblad en oude koemest. Verder geldt hetzelfde als voor de echte dadel, alleen is de minimum-wintertemperatuur 5 °C, en houdt hij van een iets vochtiger atmosfeer.
Vermeerdering. Als u gekonfijte dadelpitten laat weken en daarna plant heeft u kans dat ze gaan kiemen. Van de andere dadelpalmen is zaad te koop, net als van de *Washingtonia.* 25 -30 °C bodemwarmte. *P. roebelenii* kunt u delen.

Bol- en knolgewassen

Wanneer we een jaar het leven van een bol- of knolgewas bekijken, zullen we meestal een groeiperiode en een absolute rustperiode kunnen waarnemen. Tijdens de eerste periode worden blad en bloemen ontwikkeld en wordt voedsel in het betreffende reserveorgaan opgeslagen. Gedurende de rust sterven loof en bloemen af en blijft de bol of knol in volkomen droge grond wachten op een nieuwe periode van activiteit.
We onderscheiden twee groepen: de voorjaars- en de zomerbloeiers. De bekendste lentebloeiers zijn amaryllis, krokus, hyacint, narcis en tulp. In de zomer kunnen we de bloemen van onder meer *Ismene*, lelie en prachtlelie bewonderen. Herfstbloeiende krokussen en herfsttijloos bloeien in september/oktober.
De bekende bollen kunt u bij ieder tuincentrum, bloemenwinkel of op de markt kopen. De wat apartere bollen zijn bij verschillende verzendkwekers te krijgen. In het algemeen zijn de zomer- en herfstbloeiers wat makkelijker over te houden dan lentebloeiende bollen en knollen. Maar met wat extra moeite lukt het vast wel en wat is nu leuker dan een bloem te zien verschijnen aan een zelf overgehouden gewas?
Zomerbloeiers potten we meestal in maart/april op in standaardpotgrond met wat extra zand voor een goede drainage. Om dezelfde reden doen we ook nog wat potscherven onder in de pot. Vaak zult u vrij diepe potten nodig hebben. Neem de lelie, die de gewoonte heeft boven de bol nog wat worteltjes te produceren. Daarom moet de bol 10 cm onder het aardoppervlak gepoot worden, terwijl ook onder de bol voldoende aarde moet zijn om te wortelen. Dan nog de lengte van de bol en de dikte van de drainagelaag erbij optellen en u zit al gauw aan 25 cm pothoogte.
De zomerbloeiers hoeven niet eerst in het donker te staan. Laat de beworteling plaatsvinden bij een temperatuur tussen 15 en 25 °C, afhankelijk van de soort, en in matig vochtige aarde. Net als bij de voorjaarsbloeiers loopt u bij een té ruime watergift kans op verrotten van de bol of knol, terwijl er geen wortelvorming zal plaatsvinden als de aarde te droog is. Pas als het blad is uitgelopen mag u meer water gaan geven. Tijdens groei en bloei verzorgt u ze goed, dient voldoende water en voedsel toe, zodat de bollen niet uitgeput raken. Dan kunt u ze namelijk beter niet overhouden, maar weggooien en het volgende jaar met nieuwe, verse bollen beginnen. Laten we ervan uitgaan dat u de bollen over wilt houden.
Bij sommige zomerbloeiers sterft het loof na de bloei geheel af; bij andere, zoals sommige *Ismene*-soorten, blijft het loof eraan. Deze bladhoudende soorten houdt u in de winter vrij droog bij temperaturen rond 15 °C. Gewassen die geheel afsterven krijgen 's winters geen water en u bewaart ze koel, ca. 10 °C. Zowel een gematigde kas als een kast kan als overwinteringsplaats dienst doen.
Droogbloeiers, zoals *Colchicum*, herfsttijloos en herfstkrokus, zet u in augustus of september droog op een schotel of in een nauw glaasje, op een licht, eventueel iets zonnig plekje. Na verloop van tijd gaan ze vanzelf bloeien, zonder dat u er ook maar iets aan hoeft te doen. Na de bloei poot u ze weer in de volle grond, zodat ze vóór de winter nog wat worteltjes maken. In de lente lopen ze uit. Dit blad mag u er pas afsnijden als het geel is geworden. In juli/augustus kunt u ze dan weer uit de grond nemen en binnenshuis laten bloeien.
Lentebloeiers hebben voor de beworteling een absoluut donkere periode nodig – er zijn enkele uitzonderingen – en een temperatuur van 9 °C, terwijl de aarde matig vochtig moet zijn. Deze condities kunnen zowel in de tuin, op het balkon als in huis bereikt worden. In de tuin maakt u op een niet te natte, noch te droge plaats een 50 cm diepe kuil, waar u de potten met bollen ingraaft. Op het balkon kunt u een kuilkist maken; de kist vult u met vochtige turfmolm, waarin u dan de potten begraaft. Binnenshuis is het wat moeilijker om een ruimte te vinden met een lage temperatuur, vooral in een centraal verwarmd huis. Toch is er vaak wel een kast of bergruimte geschikt. Dek de potten af met zwart plastic; zo houdt u de aarde langer vochtig, terwijl er ook geen licht bij kan komen. Verdere details vindt u op de volgende bladzijden.

Links *Hyacinthus* 'Marconi' (roze) en *H.* 'Blue Jacket' (blauw), daarachter gele narcis 'February Gold'. Midden voor *Hyacinthus* 'Sky Jacket' op glas, daarnaast een gele krokus, de tulp 'Plaisir' en erachter de triumph-tulp 'Yellow Crescent'. Rechts voor de *Fosteriana*-tulp 'Sundance', erachter *Narcissus* 'Bridal Crown'.

Crocus / Hyacinthus (Hyacint) / **Narcissus** (Narcis) / **Tulipa** (Tulp)

Veel krokussen zijn, net als de hyacint, afkomstig uit landen rond de Middellandse Zee en Klein-Azië. Hyacinten ruiken heerlijk, maar narcissen hebben de naam: het Griekse *narkao* betekent 'Ik raak bedwelmd'. Rond de Middellandse Zee en in Midden-Europa groeien ze in het wild. Tulpen groeien in delen van Azië, Noord-Afrika en Europa. Al deze tuinplanten kunnen we ook binnenskamers laten bloeien, hoewel daar soms wat kunstgrepen voor nodig zijn.

Verzorging. Van oktober tot december – voor vroege of late bloei – potten we de bollen op in brede, ondiepe, goed gedraineerde bakken, in zandige tuingrond. Bent u in het bezit van een tuin, dan graaft u een 50 cm diepe kuil, die u draineert, en waar u de potten in zet. Bedek ze met lichte tuinaarde en een laag stro, zodat u ze ook als het vriest weer op kunt graven. De bollen mogen in de kamer als u de bloemknop boven de bol kunt voelen. Dat is meestal zo 8 à 10 weken na het oppotten. Geen tuin, dan in een kist op het balkon. Niet in de zon zetten omdat de beste temperatuur voor beworteling zo'n 9 °C is en dan volledig in het donker. In een koele bergruimte of in een kast kunt u hetzelfde resultaat bereiken.

Voor de wortelvorming is ook vocht nodig; houd de aarde matig vochtig. Wen de bollen voorzichtig aan de hogere temperatuur en sproei vaak om de luchtvochtigheid hoog te houden. Narcissen en hyacinten kunt u ook in grind of op een hyacintglas in bloei trekken. De bekende 'Paperwhite'-narcis heeft geen donkere bewortelingsperiode nodig.

Hippeastrum-hybriden

Hippeastrum (Amaryllis)

In tropisch en subtropisch Amerika groeien 70 soorten in savannen of bosgebieden. Het kan daar tijden absoluut droog zijn, zodat het loof afsterft. De *Hippeastrum* overleeft deze moeilijke tijden doordat in de bol al reservevoedsel voor deze periodes opgeslagen was. U kunt de bollen overal op kleur kopen, maar beter nog is het om benaamde rassen aan te schaffen.

Verzorging. Koop in het late najaar een bol met een pruik onbeschadigde wortels en pot hem op in standaardpotgrond, zó dat de hals van de bol boven de aarde uitkomt. Houd de aarde matig vochtig en zet de pot-met-bol op een warme plaats, bij voorbeeld op een schoteltje op een radiator. Als de bloemstengel 15-20 cm lang is kunt u meer water gaan geven en de bol voor een licht venster neerzetten. De bodemtemperatuur mag nu ook wat dalen. Tegen felle middagzon schermen.

De bladeren komen meestal pas na de bloemstengel te voorschijn. Tijdens het uitlopen kunt u af en toe sproeien. De bloemen zullen langer goed blijven naarmate de plant op een koelere plaats staat. Als de bloei voorbij is snijdt u de bloemstengel af. Verder blijft u hem gewoon verzorgen; geef eens in de veertien dagen een normaal geconcentreerde hoeveelheid mest. Na half mei kan de amaryllis op een licht beschaduwd plekje in de tuin worden ingegraven, met pot en al. Tegen de herfst vermindert u geleidelijk de watergift, zodat het loof afsterft. De bol in de droge potgrond bewaren bij minimaal 16 °C, en in de late winter oppotten. U kunt hem ook eerder droog houden en eerder weer oppotten en in bloei trekken.

Vermeerdering. Broedbolletjes met wortels afnemen en opkweken, liefst in een kas, met inachtneming van de rustperioden. Zaaien bij 22 °C na kunstmatige bestuiving.

Kuipplanten

Onder kuipplanten of orangerieplanten verstaan we gewassen die in de subtropen buiten kunnen groeien. In de winter koelt het in die streken behoorlijk af, maar vorst van betekenis is er niet te verwachten.
Gaan we deze planten in een gematigd of koud klimaat binnenshuis kweken, dan staan ze 's winters veel te warm. Gevolg: de planten blijven doorgroeien en produceren scheuten die door lichtgebrek zeer zwak worden. De oplossing van dit probleem vond men reeds enkele honderden jaren geleden: de orangerie, een koele, lichte ruimte, waar de planten 's winters vorstvrij bewaard kunnen worden.
Op den duur werden het behoorlijke grote struiken, men ging ze daarom in royale, teakhouten kuipen kweken. Ook al gebruiken we nu plastic potten of andere containers, we spreken nog steeds van kuipplanten.
Omdat niet iedereen een orangerie bij z'n huis kan bouwen, werd gezocht naar een andere, koele opslagplaats. Die werd gevonden in de koude kas, een ruimte die met behulp van thermostaat en verwarming keurig vorstvrij gehouden kan worden, als regel op ±5 °C. Een koele slaapkamer of een ongebruikte logeerkamer kan ook uitstekende diensten verrichten. Verder worden vorstvrij gehouden garages en schuurtjes geschikt gemaakt als kleine orangerie door er wat ramen en liefst ook een dakkoepel in te maken.
In het voorjaar kan vooral de koude kas door zoninstraling veel te warm worden. De planten gaan hierdoor te vroeg uitlopen. Daarom moet er vooral in deze periode veel gelucht en geschermd worden. 's Nachts wordt de kas dan weer gesloten om bevriezing van de planten te voorkomen.
Zo ongeveer de derde week van mei – in warmere streken iets eerder – kunnen de orangerie- of kuipplanten weer naar buiten. Ze kunnen het best op een beschut terras of balkon geplaatst worden. De meeste kuipplanten verlangen volle zon. In de zomer wordt u veelal getrakteerd op een overvloed aan bloemen en vooral de grotere exemplaren zijn dan spectaculair.
Eind september, half oktober, voor de eerste nachtvorsten, gaan de planten weer naar binnen.
Kuipplanten die in dit boek zijn beschreven:

Bloeiende planten:
Citrus
Fuchsia
Hibiscus
Nerium
Passiflora
Rhododendron

Bladplanten:
Pittosporum
Schefflera
Yucca

Succulenten:
Agave
Aloë

Palmen:
Chamaerops
Washingtonia

Giftige planten

Er wordt de laatste jaren nogal wat gepubliceerd over de gevaren van giftige planten in en om de woning. Na enkele spectaculaire en uiteraard hoogst vervelende ongelukken met planten kunt je zoiets natuurlijk wel verwachten. Naar mijn smaak moeten we echter oppassen voor een heksenjacht op alles wat maar enigszins giftig of gevaarlijk is. Je kunt dan het halve huis wel leegruimen, zeker niet alleen op plantengebied.
Giftige kamerplanten zijn alleen gevaarlijk als je ze opeet. Over het algemeen gebeurt dit zelden, of iemand moet buiten zinnen zijn, zoals de dronken carnavalsganger die wedde dat hij een *Dieffenbachia* kon opeten. Zelfs deze man kon nog gered worden.
Er is echter een gevaarlijke uitzondering: kleine peuters, die de gewoonte hebben alles in hun mond te stoppen. Houd in elk geval de onderstaande planten uit hun buurt als zulke onderzoekende dreumesen los rond mogen lopen.
Er bestaan ook nog planten die weliswaar niet giftig, maar toch zeer gevaarlijk zijn. De bekendste is de 'scherpe' *Yucca*, die met zijn venijnige bladpunten al menigeen heeft verwond. Volgens mij is die veel gevaarlijker dan giftige planten, zeker wanneer ik aan oogletsel denk.
De onderstaande planten zijn min of meer giftig:

Bloeiende planten:
Anthurium scherzeranum
Catharanthus
Clivia
Cyclamen
Euphorbia
Hoya
Nerium
Primula
Rhododendron
Senecio

Bladplanten:
Codiaeum variegatum
Dieffenbachia
Hedera
Monstera
Philodendron

Succulenten:
Euphorbia
Senecio

Bol- en knolgewassen:
Hyacinthus
Narcissus

Latijnse plantenamen

Vaak wordt gevraagd waarom bij de beschrijving van planten toch altijd die lastige Latijnse namen gebruikt moeten worden als er toch ook veel gangbare populaire namen zijn in de taal van het land.
In dat 'veel' zit hem juist de moeilijkheid. Er is altijd maar één geldige Latijnse naam (wel vaak met een of meer synoniemen), maar er zijn gewoonlijk meerdere populaire namen voor dezelfde plant. Welke moet je dan kiezen?
De populaire namen verschillen ook nog van streek tot streek, van land tot land. Elke alfabetische indeling zou gedoemd zijn te mislukken.
Vandaar toch maar die Latijnse namen. In het register leest u wel een flink aantal populaire namen, zodat u via die index toch meestal wel de gezochte plant kunt vinden. Overigens is het ook zo dat van nogal wat planten een Nederlandse naam eenvoudigweg niet bestaat. Dat is een extra reden om van wetenschappelijke (Latijnse) namen gebruik te maken. Vooral nieuwe soorten hebben bij ons alleen maar zo'n Latijnse naam. Ze zijn nog niet lang genoeg in onze huizen te vinden om ook wat hun naam betreft al helemaal vernederlandst te zijn.
De Latijnse naamgeving is gebaseerd op een systeem waar de bekende Linnaeus mee begonnen is. Voor u van belang is dat er zgn. plantenfamilies zijn en elke familie uit een aantal (zelden één) geslachten bestaat. Elk geslacht wordt weer verder onderverdeeld in soorten en het is een exemplaar van zo'n soort of een daarvan afgeleide kweekvariëteit die u in uw kamer zet. Dat is in de samenstelling van de naam terug te vinden.
Een voorbeeld: De bij iedereen bekende klimop is een plant uit de familie *Araliaceae* (araliafamilie). Het is een soort uit het geslacht *Hedera*. De wilde soort heet *Hedera helix*, die u uit het bos kent. Een andere soort uit dit geslacht is *Hedera canariensis*, die van de vorige onder meer afwijkt door zijn dofrode twijgen; deze komt in het wild niet in Nederland voor. Met die *Hedera canariensis* zijn kwekers aan het 'stoeien' gegaan, met als resultaat een aantal planten die net weer iets andere eigenschappen dan de wilde soort hebben. Zulke planten noemen we cultivars, ook wel voluit cultuurvariëteiten of kortweg rassen. Zo'n rasnaam wordt altijd tussen aanhalingstekens achter de geslachts- en soortnaam gezet. Nu weet u dus precies waarom het gaat als u *Hedera canariensis* 'Variegata' of welke andere naam ook ziet staan.

Plantenbakken samenstellen

Gecombineerde plantenbakken, vaak samengesteld uit bladplanten en bloeiende planten, worden nog steeds veel gemaakt. Gewoonlijk is het treurig om te zien hoe de planten bij elkaar zijn gezet. Planten voor hoge temperaturen staan vrolijk naast exemplaren met lage warmtebehoefte, gewassen voor halfschaduw staan naast zon-aanbidders, enz. En de bloeiende planten in de bak zijn natuurlijk vrij snel over hun hoogtepunt heen, waarna het geheel er aanzienlijk minder florissant uit gaat zien.
Wilt u graag verschillende planten in één bak gebruiken, raadpleeg dan de overzichten die in dit boek zijn opgenomen en maak de bak voor een speciale, uitgezochte standplaats. Alleen dan kunt u ervan verzekerd zijn dat het geheel meerdere maanden mooi blijft.
Op den duur (na maximaal een jaar) wordt de beplanting minder mooi omdat de planten een verschillend groeitempo hebben. Daarom moeten gecombineerde bakken minstens 1 × per jaar geheel opnieuw worden beplant.
Steeds meer gaat men er (gelukkig) toe over om slechts één hoofdplant in een bak te zetten, eventueel begeleid door wat lage bodembedekkers. Zulke bakken zijn veel eenvoudiger te verzorgen, gaan langer mee en tonen meestal beter.
Om u de verzorging nog gemakkelijker te maken, zijn er verschillende systemen bedacht die ook het watergeven veel minder vaak nodig maken. Ruwweg zijn die systemen onder te verdelen in semi-hydrocultuur en 'echte' hydrocultuur.
Bij semi-hydrocultuur groeien de planten in potgrond, maar onder die grond zit een waterreservoir. Dat reservoir wordt zo nu en dan bijgevuld. Vanuit die watervoorraad wordt de potgrond automatisch voldoende vochtig gehouden.
Aan 'echte' hydrocultuur komt helemaal geen aarde meer te pas: de planten groeien met zgn. waterwortels direct in een bak met water waarin ook voedingsstoffen zijn opgelost. Om zich overeind te houden wordt de planten steun gegeven in de vorm van gebakken kleiknikkers of een ander materiaal dat zelf geen stoffen aan het water afstaat.
In de praktijk kunnen alleen speciaal voor hydrocultuur gekweekte planten in zo'n systeem gebruikt worden, omdat ze de al genoemde waterwortels moeten hebben. Gewone wortels functioneren niet in zo'n waterbak. Bij semi-hydrocultuur bestaat dit nadeel niet.

De groeivoorwaarden

Succes met kamerplanten hangt af van de mate waarin we ons aan de groeivoorwaarden houden. Zijn de 5 groeivoorwaarden – licht, temperatuur, luchtvochtigheid, water, grondsoort – optimaal in orde, dan zal de plant het beslist goed doen.
In het onderstaande worden eerst de groeivoorwaarden nader toegelicht, waarna planten met gelijke eisen bij elkaar zijn gezet (blz. 146 e.v.).

Licht
Kamerplanten kunnen zonder licht niet groeien. Maar de lichtbehoefte is wél heel verschillend. We maken hier een vrij grove indeling in drie groepen.
Volle zon. Een venster op het zuiden, waar de zon de hele dag onbelemmerd naar binnen mag schijnen. Komt niet zoveel voor, want de meeste planten verlangen wel een ietsje schaduw.
Halfschaduw. Een venster op het zuiden dat vanaf ongeveer 10 uur 's ochtends tot 5 uur 's middags tegen de felste zonnestralen is beschaduwd door middel van een vitrage, een Luxaflex of een andere zonnewering.
Ook prima geschikt is een raam op het oosten, waar de zon tot ongeveer 10 à 11 uur 's ochtends schijnt, waarna hij om de hoek van het huis verdwijnt. Dito raam op het westen, waar de zon pas laat in de middag gaat schijnen.
Schaduw. Wel een licht venster, maar geen zon. Bij voorbeeld een raam op het noorden. Het kan ook een ander venster zijn, maar dan moet de plant een paar meter van het raam af staan, waar meteen al veel minder licht komt en zeker geen zon.

Temperatuur
Hier is gekozen voor de minimum-nachttemperatuur in de zomer (van 1 mei tot 1 oktober). Overdag hebben we de temperatuur in een kasje of achter een venster immers niet zo best in de hand. De nachttemperatuur geeft dan veel beter aan of we te maken hebben met een tropische plant dan wel met een kuipplant die vanaf mei buiten kan staan. Er zijn ook hier weer drie mogelijkheden.
Warm. Minimum-nachttemperatuur 's zomers 16-20 °C.
Matig warm. Minimum-nachttemperatuur 's zomers 10-16 °C.
Koel. Minimum-nachttemperatuur 's zomers 3-10 °C.

Luchtvochtigheid
De relatieve vochtigheid van de lucht wordt uitgedrukt in procenten. 100 % relatieve vochtigheid betekent een met waterdamp verzadigde atmosfeer.
Warme lucht kan méér waterdamp bevatten dan koudere lucht. Daarom daalt in een kamer de relatieve vochtigheid als we alleen de temperatuur opvoeren. Dit verschijnsel doet zich vooral voor in de winter, als er gestookt wordt. Het openen van de vensters zal niet helpen, integendeel. De binnenkomende, soms relatief vochtige, maar altijd koude lucht wordt door de verwarming meteen relatief droog. Het enige wat werkelijk helpt is: extra vocht verdampen. Dit gaat het beste met een elektrische verdamper. Zo'n apparaat kost vrij veel stroom, maar omdat een vochtiger lucht warmer aanvoelt kunt u de thermostaat meestal 1 graad lager zetten. En daardoor hebt u die verdamper er zeer snel weer uit! De kans op verkoudheid schijnt lager te zijn bij een relatieve vochtigheid boven 50 % en statische elektriciteit (denk onder meer aan uw grammofoonplaten) wordt minder lastig. Veel neven-voordelen dus.
Ook wat betreft de luchtvochtigheid maken we een onderverdeling in drie mogelijkheden.
Hoog. Het percentage moet boven de 60 % liggen. In de kamer is dit 's winters

nauwelijks mogelijk. Planten voor de warme kas of voor de vitrine dus.
Matig. Relatieve vochtigheid tussen 50 en 60 %. In de kamer kunt u dit percentage 's winters bereiken met behulp van een verdamper of door zeer vaak te nevelen.
Laag. Percentage onder de 50 %. Planten uit deze groep kunnen heel goed tegen droge kamerlucht. Of ze ook tegen een hoge wintertemperatuur kunnen is een andere vraag! Vetplanten in ieder geval niet.

Water
Hoeveel water heeft die plant nodig? Een vraag die vaak gesteld wordt, maar die niet zo één-twee-drie is te beantwoorden. Het komt hierop neer, dat elke plant zoveel water moet kunnen opnemen als hij verdampt. Er moet dus evenwicht zijn tussen opname en afgifte van water. Zodra dat evenwicht verstoord is, gaat het fout, tenzij we te maken hebben met planten die vochtreserves aanleggen, zoals vetplanten.
Hoeveel vocht een plant verdampt, hangt voornamelijk af van de temperatuur. Een plant die in de zon staat transpireert meer dan dezelfde plant op een schaduwplek. Verder is de pot belangrijk: via een stenen bloempot verdampt vocht en door een plastic pot niet.
Bij de vochtigheid van de potgrond gaan we weer van drie mogelijkheden uit.
Nat. De aarde moet in elk geval constant vochtig zijn, mag dus nooit droog aanvoelen. In sommige gevallen mag er zelfs water op de schotel blijven staan, maar meestal moet dit overtollige vocht afgevoerd worden.
Matig vochtig. Laat de aarde tussen twee gietbeurten opdrogen, maar vermijd slap hangen van de bladeren. Gebeurt dit toch, dan meteen dopen.
Droog. Alleen bij warm weer matig water geven. Bij lage temperatuur (winterrust!) helemaal geen vocht toedienen om rotten van de wortels te voorkomen.

Grondsoort
Vroeger werd voor elke kamerplant een apart grondmengseltje gemaakt. Men ging er namelijk van uit dat aarde van de oorspronkelijke standplaats zoveel mogelijk geïmiteerd moest worden. Kleigrond, beukeblad, verteerde koemest en scherp zand waren altijd bij de hand.
Nu kopen we een zakje standaardpotgrond en daar moeten alle plantjes het dan maar mee doen. Het is wel erg gemakkelijk, maar waar blijft op die manier de romantiek van het zelf experimenteren met allerlei mengseltjes? Bovendien staat als een paal boven water dat lang niet alle planten in dezelfde standaardgrond kunnen groeien.
In dit boek is in de beschrijving steeds vermeld hoe u de *ideale* potgrond moet samenstellen. In de tabellen daarentegen zijn zoveel mogelijk planten bij 'standaardpotgrond' ingedeeld. Alleen als het beslist niet anders gaat, is extra zure grond of een speciaal mengsel aanbevolen.
Weer zijn er drie mogelijkheden.
Standaardgrond. Deze planten groeien goed tot bevredigend in de overal verkrijgbare, verpakte standaardpotgrond. In Nederland staat er dan het RHPA-kenmerk op.
Zure grond. Deze planten verlangen een lagere pH (zuurgraad) dan normaal. Die kunt u eenvoudig zelf maken door gewone standaardpotgrond met zuivere turfmolm te mengen in de verhouding 1 : 1. U moet dan wél eerder bijmesten.
Speciale grond. Gebruik alleen het mengsel zoals dat in de beschrijving is aangegeven.

Planten met gelijke groeivoorwaarden

In het overzicht op de volgende bladzijden zijn kamerplanten bijeengezet die gelijke condities verlangen. Dat is erg handig voor u, omdat het hierdoor mogelijk is 'een vensterbank bij elkaar te zoeken'. Bij de groeivoorwaarden is gelet op licht, temperatuur, luchtvochtigheid, water en grondsoort. Een letter R achter de plant betekent dat een rustperiode wordt verlangd, meestal in de winter. Tijdens deze rustperiode gelden natuurlijk andere groeivoorwaarden, als regel gaat dan de temperatuur omlaag, evenals de watergift. Zoekt u dat even precies na bij de beschrijvingen.
Een duidelijke uitleg van de gehanteerde begrippen (volle zon, enz.) vindt u op blz. 144 en 145.

Planten voor een raam op het zuiden

Licht	: volle zon	*Hibiscus* R
Temperatuur	: hoog	*Tradescantia*
Luchtvochtigheid	: matig	
Water	: matig vochtig	
Grondsoort	: standaardpotgrond	

Licht	: volle zon	*Ananas*
Temperatuur	: hoog	
Luchtvochtigheid	: matig	
Water	: matig vochtig	
Grondsoort	: speciaal mengsel	

Licht	: volle zon	*Rebutia* R
Temperatuur	: hoog	
Luchtvochtigheid	: matig	
Water	: droog	
Grondsoort	: speciaal mengsel	

Licht	: volle zon	*Euphorbia milii*
Temperatuur	: hoog	
Luchtvochtigheid	: laag	
Water	: droog	
Grondsoort	: standaardpotgrond	

Licht	: volle zon	*Kalanchoë*, hoogsucculente soorten R
Temperatuur	: hoog	*Notocactus* R
Luchtvochtigheid	: laag	*Parodia* R
Water	: droog	*Senecio*, hoogsucculente soorten R
Grondsoort	: speciaal mengsel	

Planten voor een raam op het zuiden (vervolg)

Licht	: volle zon	*Coleus*
Temperatuur	: matig warm	
Luchtvochtigheid	: matig	
Water	: nat	
Grondsoort	: standaardpotgrond	

Licht	: volle zon	*Impatiens*
Temperatuur	: matig warm	*Tradescantia*
Luchtvochtigheid	: matig	*Yucca* R
Water	: matig vochtig	
Grondsoort	: standaardpotgrond	

Licht	: volle zon	*Nerium* R
Temperatuur	: matig warm	
Luchtvochtigheid	: laag	
Water	: matig vochtig	
Grondsoort	: standaardpotgrond	

Licht	: volle zon	*Kalanchoë*, broedplanten
Temperatuur	: matig warm	*Pelargonium* R
Luchtvochtigheid	: laag	
Water	: droog	
Grondsoort	: standaardpotgrond	

Licht	: volle zon	*Crassula* R
Temperatuur	: matig warm	*Echeveria* R
Luchtvochtigheid	: laag	*Euphorbia*, hoogsucculent R
Water	: droog	*Ferocactus* R
Grondsoort	: speciale grond	*Gasteria* R
		Haworthia R
		Lobivia R
		Mammillaria R
		Sedum R

Licht	: volle zon	*Citrus*
Temperatuur	: koel	*Passiflora*
Luchtvochtigheid	: matig	
Water	: matig vochtig	
Grondsoort	: standaardpotgrond	

Planten voor een raam op het zuiden (vervolg)

Licht	: volle zon	*Pelargonium* R
Temperatuur	: koel	
Luchtvochtigheid	: laag	
Water	: droog	
Grondsoort	: standaardpotgrond	

Licht	: volle zon	*Agave* R
Temperatuur	: koel	*Aloë* R
Luchtvochtigheid	: laag	*Cereus* R
Water	: droog	*Opuntia* R
Grondsoort	: speciale grond	

Planten voor een raam op het oosten of het westen of voor een raam op het zuiden met schaduw van 10 tot 17 uur

Licht	: halfschaduw	*Ctenanthe*
Temperatuur	: warm	*Dizygotheca*
Luchtvochtigheid	: hoog	*Philodendron*
Water	: matig vochtig	*Syngonium*
Grondsoort	: standaardpotgrond	

Licht	: halfschaduw	*Achimenes* R
Temperatuur	: warm	*Hoya bella*
Luchtvochtigheid	: hoog	
Water	: matig vochtig	
Grondsoort	: zure grond	

Licht	: halfschaduw	*Aechmea*
Temperatuur	: warm	*Aeschynanthus*
Luchtvochtigheid	: hoog	*Aglaonema*
Water	: matig vochtig	*Anthurium*
Grondsoort	: speciale grond	*Cryptanthus*
		Dendrobium R
		Epidendrum R
		Fittonia
		Maranta
		Neoregelia
		Pilea
		Polyscias
		Tillandsia, groen blad
		Vriesea

Planten voor een raam op het oosten of het westen of voor een raam op het zuiden met schaduw van 10 tot 17 uur (vervolg)

Licht	: halfschaduw	*Microcoelum*
Temperatuur	: warm	
Luchtvochtigheid	: matig	
Water	: nat	
Grondsoort	: standaardpotgrond	

Licht	: halfschaduw	*Dieffenbachia*
Temperatuur	: warm	*Ficus*
Luchtvochtigheid	: matig	*Hippeastrum* R
Water	: matig vochtig	*Hoya carnosa* R
Grondsoort	: standaardpotgrond	*Monstera*
		Philodendron
		Pittosporum R
		Rhaphidophora
		Stephanotis R
		Syngonium
		Tradescantia

Licht	: halfschaduw	*Calathea*
Temperatuur	: warm	
Luchtvochtigheid	: matig	
Water	: matig vochtig	
Grondsoort	: zure grond	

Licht	: halfschaduw	*Guzmania*
Temperatuur	: warm	*Peperomia*
Luchtvochtigheid	: matig	
Water	: matig vochtig	
Grondsoort	: speciale grond	

Licht	: halfschaduw	*Tillandsia*, grijs blad R
Temperatuur	: warm	
Luchtvochtigheid	: matig	
Water	: droog	
Grondsoort	: speciale grond	

Licht	: halfschaduw	*Astrophytum* R
Temperatuur	: warm	
Luchtvochtigheid	: laag	
Water	: droog	
Grondsoort	: speciale grond	

Planten voor een raam op het oosten of het westen of voor een raam op het zuiden met schaduw van 10 tot 17 uur (vervolg)

Licht	: halfschaduw	*Acalypha*
Temperatuur	: matig warm	*Codiaeum*
Luchtvochtigheid	: hoog	*Cordyline*
Water	: matig vochtig	
Grondsoort	: standaardpotgrond	

Licht	: halfschaduw	*Aphelandra*
Temperatuur	: matig warm	
Luchtvochtigheid	: hoog	
Water	: matig vochtig	
Grondsoort	: zure grond	

Licht	: halfschaduw	*Columnea* R
Temperatuur	: matig warm	*Cymbidium* R
Luchtvochtigheid	: hoog	*Paphiopedilum* R
Water	: matig vochtig	
Grondsoort	: speciale grond	

Licht	: halfschaduw	*Cyperus*
Temperatuur	: matig warm	
Luchtvochtigheid	: matig	
Water	: nat	
Grondsoort	: standaardpotgrond	

Licht	: halfschaduw	*Abutilon* R
Temperatuur	: matig warm	*Asparagus*
Luchtvochtigheid	: matig	*Begonia*
Water	: matig vochtig	*Chamaedorea*
Grondsoort	: standaardpotgrond	*Chlorophytum*
		Cissus
		Dracaena
		Hedera
		Howeia R
		Kalanchoë blossfeldiana R
		Saintpaulia R
		Senecio mikaniodes
		Streptocarpus R
		Tradescantia
		Washingtonia R

Planten voor een raam op het oosten of het westen of voor een raam op het zuiden met schaduw van 10 tot 17 uur (vervolg)

Licht	: halfschaduw	*Sansevieria*
Temperatuur	: matig warm	
Luchtvochtigheid	: laag	
Water	: droog	
Grondsoort	: standaardpotgrond	
Licht	: halfschaduw	*Crassula*
Temperatuur	: matig warm	
Luchtvochtigheid	: laag	
Water	: droog	
Grondsoort	: speciale grond	
Licht	: halfschaduw	*Primula*
Temperatuur	: koel	*Rhododendron (Azalea)*
Luchtvochtigheid	: hoog	
Water	: nat	
Grondsoort	: zure grond	
Licht	: halfschaduw	*Crocus*
Temperatuur	: koel	*Hyacinthus*
Luchtvochtigheid	: hoog	*Narcissus*
Water	: matig vochtig	*Tulipa*
Grondsoort	: standaardpotgrond	
Licht	: halfschaduw	*Senecio cruentus*
Temperatuur	: koel	
Luchtvochtigheid	: matig	
Water	: nat	
Grondsoort	: standaardpotgrond	
Licht	: halfschaduw	*Campanula* R
Temperatuur	: koel	*Capsicum*
Luchtvochtigheid	: matig	*Catharanthus*
Water	: matig vochtig	*Chamaerops* R
Grondsoort	: standaardpotgrond	*Chlorophytum*
		Cissus
		Clivia R
		Cyclamen R
		Euphorbia pulcherrima R
		Fatsia
		× *Fatshedera*
		Hedera
		Schefflera

Planten voor een raam op het oosten of het westen of voor een raam op het zuiden met schaduw van 10 tot 17 uur (vervolg)

Licht	: halfschaduw	*Begonia*
Temperatuur	: koel	
Luchtvochtigheid	: matig	
Water	: matig vochtig	
Grondsoort	: zure grond	

Licht	: halfschaduw	*Epiphyllum* R
Temperatuur	: koel	
Luchtvochtigheid	: laag	
Water	: droog	
Grondsoort	: speciale grond	

Planten voor een raam op het noorden of ander raam zonder direct zonlicht

Licht	: schaduw	*Philodendron*
Temperatuur	: warm	*Phoenix* R
Luchtvochtigheid	: hoog	*Syngonium*
Water	: matig vochtig	
Grondsoort	: standaardpotgrond	

Licht	: schaduw	*Asplenium*
Temperatuur	: warm	*Microlepia*
Luchtvochtigheid	: hoog	*Phalaenopsis* R
Water	: matig vochtig	*Pteris*
Grondsoort	: speciale grond	

Licht	: schaduw	*Cyrtomium* R
Temperatuur	: warm	*Monstera*
Luchtvochtigheid	: matig	*Nephrolepis*
Water	: matig vochtig	*Pellaea*
Grondsoort	: standaardpotgrond	*Philodendron*
		Rhaphidophora
		Syngonium

Licht	: schaduw	*Peperomia*
Temperatuur	: warm	*Platycerium*
Luchtvochtigheid	: matig	
Water	: matig vochtig	
Grondsoort	: speciale grond	

Planten voor een raam op het noorden of ander raam zonder direct zonlicht (vervolg)

Licht	: schaduw	*Adiantum*
Temperatuur	: matig warm	
Luchtvochtigheid	: hoog	
Water	: matig vochtig	
Grondsoort	: speciale grond	

Licht	: schaduw	*Asparagus*
Temperatuur	: matig warm	*Cissus*
Luchtvochtigheid	: matig	*Hedera*
Water	: matig vochtig	*Iresine*
Grondsoort	: standaardpotgrond	

Licht	: schaduw	*Cissus*
Temperatuur	: koel	*Fatsia*
Luchtvochtigheid	: matig	× *Fatshedera*
Water	: matig vochtig	*Fuchsia* R
Grondsoort	: standaardpotgrond	*Hedera*

Notities

Noteer op deze pagina's alles wat u wilt onthouden voor een goede verzorging van uw planten (gegevens over stekken en verpotten, water geven, rustperiodes enz.)